◀初心者でもわかる▶

ChatGPTとは何か

自然な会話も高精細な画像も
生成AIの技術はここまできた

JN016840

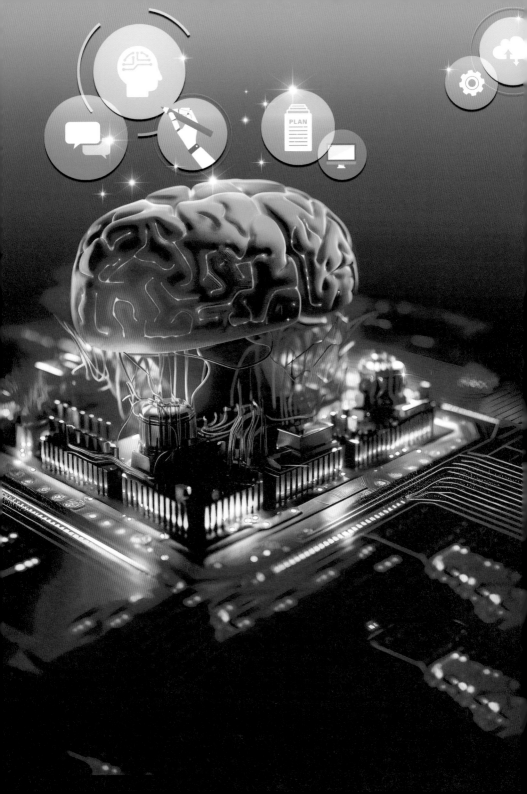

はじめに

今世界中で話題になっている対話型 AI「ChatGPT」。2022 年 11 月に「ChatGPT（GPT-3）」が公開されてから 2 か月で登録者数が 1 億人をこえるなど，その勢いはとどまるところを知りません。さまざまな企業が自社のサービスとの連携や社内ツールとしての導入もはじめるなど，身近な存在になりつつあります。

なぜここまで高性能な生成 AI が生まれたのでしょうか。これまでの対話型 AI とはいったい何がちがうのでしょうか。そこにはこれまで人類が積み重ねてきた AI 技術のノウハウや，ChatGPT 独自のおどろくべき技術がつまっていたのです。

本書では，ChatGPT のはじめ方やうまく使いこなすためのコツといった実践的な内容から，生成 AI を発展させてきた技術までわかりやすく解説しています。高精細で多様な画像を生みだす画像生成 AI も取り上げています。生成 AI がかかえる課題や，生成 AI がもたらす未来にもせまります。

これから ChatGPT をはじめてみようと思っている初心者の読者にも，将来に向けて生成 AI について知っておきたいという読者にもぴったりの一冊です。

※本書は主に 2023 年 8 月 14 日時点の情報をもとに制作されています。性能の向上や新機能の搭載などにより，内容と最新の性能がことなる可能性があります。

3 ChatGPTを支える技術にせまろう

4 おどろくほど高精細！「画像生成AI」の威力

5 劇的に進化していくAIがもたらす未来

1

to ChatGPT

AI accoun

ChatGPTって
いったい何？

2023年3月に公開されたChatGPT（GPT-4）。チャット形式で誰でも簡単に使えるAI（人工知能）として世界中で注目されています。このChatGPTとはいったい，どのようなAIなのでしょうか？　まずはChatGPTの全体像をつかんでいきましょう。

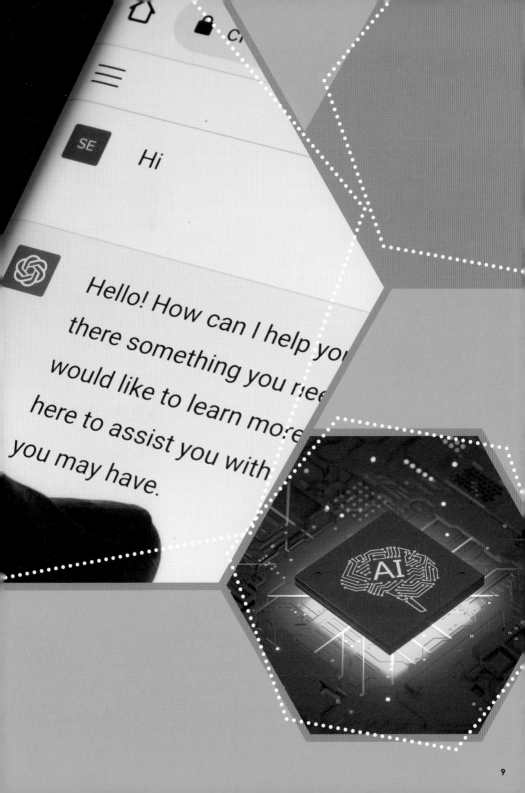

SE Hi

Hello! How can I help yo
there something you ne
would like to learn more
here to assist you with
you may have.

ChatGPTが「第4次AIブーム」の扉をあけた

ChatGPTとは人工知能の一種であり，2022年11月にOpenAIがリリースした言語モデルです。大量の文章データを学習し，自然言語の生成や理解，文章の要約や翻訳などのタスクを行うことができます。ChatGPTは，人間のように自然な文章を生成することができるため，会話や文章作成などの分野で幅広く活用されています。

上の文章は，実は「ChatGPT」が書いたものです。「ChatGPTとは何か，専門用語を使わずにわかりやすく150字で説明してください。ただし，次の言葉を入れてください。2022年11月，OpenAI」と指示した結果，冒頭の文章が生成されました※。

「言語モデル」など専門用語が残っている部分はありますが，冒頭の文章を読むだけでも，ChatGPTが出力する文章が非常に自然であることがわかるでしょう。そして今，ChatGPTの性能の高さは世界中で大きな話題になっています。

あらためて説明すると，**ChatGPTとは，人の質問に対してAIが応答することでさまざまなタスクをこなす，**「**AIチャット（対話）サービス」の一種です。**ChatGPTの特徴は，文章を使ってできることは基本的に何でもやってくれるということです。文章の要約や翻訳，添削のほか，小説や詩の執筆，スピーチ原稿の作成，プログラミングなどもこなせます。

ChatGPTのユーザー数は，公開からわずか2か月後の2023年1月には1億人をこえたといいます。これは，人気のSNSサービスInstagramやTikTokよりも速い普及スピードです。

メールやweb検索，リモート会議など，私たちの生活や仕事は今やインターネットがなければなりたちません。それと同じように，対話AIも将来私たちの日常において不可欠なツールとなるかもしれません。**ChatGPTを中心に，「第4次AIブーム」がはじまっているといってもよいでしょう。**

※：これはChatGPTの無料版に用いられているGPT-3.5という言語モデルを使って生成された文章である。ChatGPTは同じ質問をしても回答が毎回変わるため，これと同じ文章が生成されるとはかぎらない。

SE

Hi

Hello! How can I help you toa
there something you need help
would like to learn more about? I
here to assist you with any questio
you may have.

「生成AI」が急激に進化している

最近ではChatGPTに加えて，「生成AI」という言葉を聞くこともふえました。生成AI（Generative AI）とは，人間の指示に応じて適切な文章や画像，音楽，動画などを生成してくれるAI（人工知能）のことです。ChatGPTも生成AIの一種です。また，ChatGPT以外でも，誰でも手軽に高精細なイラストを作成できる画像生成AIが注目されています。

ChatGPTは，世界中の生成AIの開発競争に火をつけました。ChatGPTの公開以降，生成AIの開発が急速に進み，新しい技術やサービスが次々と生みだされているのです。

専門知識においても，ChatGPTは人間に匹敵する能力を獲得しはじめています。最新モデルのAI（GPT-4）を搭載したChatGPTにアメリカの司法試験の模擬試験を解かせたところ，なんと上位10%という合格水準の成績をおさめたのです。日本の医師国家試験につ

いても，GPT-4は2018〜2022年の過去5年間の問題で，いずれも合格水準を上まわりました※。

ChatGPTのようなAI対話サービスは，インターネットの発明よりも大きな変化を社会にあたえることになっていくでしょう。

※：Kasai J, et al. Evaluating GPT-4 and ChatGPT on Japanese Medical Licensing Examinations. arXiv: 2303. 18027.

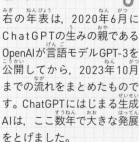

生成AIのニュース

右の年表は，2020年6月にChatGPTの生みの親であるOpenAIが言語モデルGPT-3を公開してから，2023年10月までの流れをまとめたものです。ChatGPTにはじまる生成AIは，ここ数年で大きな発展をとげました。

生成AIに関するニュース一覧

2020年

6月 OpenAIが自然言語処理モデル「GPT-3」を公開。人間が書いたような自然な文章を生成できることが話題に。

2021年

1月 OpenAIが画像生成AIサービス「DALL・E」を公開。画像生成AIサービスのさきがけに。

2022年

8月 Stability AIが画像生成AIサービス「Stable Diffusion」を公開。オープンソースとして公開されたため，個人なども独自の画像生成AIサービスを開発可能に。

9月 「DALL・E2」を一般公開。旧バージョンの「DALL・E」よりも高精細で処理速度も速くなる。

11月30日 OpenAIが対話AIサービス「ChatGPT」を公開。わずか2か月でユーザーが1億人を突破。

2023年

2月6日 Googleが対話AIサービス「Bard」を公開。インターネット上の最新情報にアクセスできるといったChatGPTにはない機能をもつことで注目。

2月7日 マイクロソフトが検索エンジン「Bing」にGPT-4を組みこんだ対話AIサービス「Bing AI」を公開。

3月2日 OpenAIが「API連携」のサービスを公開。

3月15日 OpenAIが最新の言語モデル「GPT-4」を公開。

3月28日 AIの安全性や倫理性を研究する非営利組織「Future of Life Institute（FLI）」が公開書簡を発表。GPT-4よりも強力なAIの開発を6か月間停止することを世界中のAI研究機関によびかける。

4月10日 OpenAIのCEOであるサム・アルトマン氏が来日し，岸田文雄首相と面会。

6月16日 Metaが音声生成AIモデル「Voicebox」を公開。わずか2秒の短い音声を学習させるだけで，さまざまな文章をその音声で自在に読み上げることが可能。

9月4日 株式会社伊藤園が販売するお茶のCMに，日本ではじめて生成AIで作成したタレントが起用される。

10月30日 G7（主要7か国）が，生成AIの開発者を対象にした，「広島プロセス国際指針」（開発において守るべき国際的なルール）と，その指針をより具体的に示した「広島プロセス国際行動規範」について合意した。

生成AIの
さきがけとなった
「画像生成AI」

生成AIの技術は，ChatGPTの登場によって社会に広く知られるようになりました。しかし，実はChatGPTよりも一足先に注目を集めていたのが，画像生成AIの分野です。

画像生成AIとは，「こんな絵を描いて」とテキスト（言葉）で指示すると，それに応じた画像を生成してくれるAIのことです。

画像生成AIは，インターネット上の膨大な画像データを学習することで，多彩な画像をいとも簡単に生成することができます。

画像データを学習するAIといえば，2015年ごろから広く普及するようになった画像認識AIが有名です。しかし，画像認識AIが，画像に含まれる物や人を高精度に認識する技術であるのに対し，画像生成AIは，これまで世の中に存在しなかった新しい画像を生成する技術であり，目的も用途も大きくことなります。

くわしい話は4章でおこないますが，ここ数年で新しい画像生成AIサービスが次々と開発されました。その結果，画像生成AIは世界中に広く普及し，ますます注目を集めるようになったのです。このことから，2022年は画像生成AI元年とよばれることもあります。

画像認識技術が飛躍的に向上

画像認識技術が深層学習の登場によって，飛躍的に向上しました。この結果，画像生成が容易になり，さまざまなサービスが登場しています。近年では，Transformerを画像に適用した「Visual Transformer」の登場によって，画像生成技術も進展しています。

ChatGPTを開発した企業「OpenAI」

Ｃhat GPTを開発したのは，アメリカのベンチャー企業「OpenAI」です。OpenAIは，イーロン・マスク氏やサム・アルトマン氏，ピーター・ティール氏などの有名な起業家たちによって2015年に設立されました。また，OpenAIは，画像生成AIのさきがけとなった「DALL・E」シリーズを開発した企業でもあります。

OpenAIの企業理念（mission）は，「全人類が汎用AIの恩恵を受けられるようにすること」です。ここでいう「汎用AI（AGI：Artificial General Intelligence）」とは，人間と同等かそれ以上の知能をもち，人間にかわってさまざまなタスク（仕事）を汎用的にこなせるAIのことです。

汎用AIが人間の知能をこえるようになると，社会への恩恵は大きい反面，悪影響も懸念されます。特定の国や企業が，自己の利益のために汎用AIを独占的に使用するリスクもあります。

そこでOpenAIは，世界にさきがけて汎用AIを開発し，その利益を全人類が平等に共有できるようにすることを目指しました。そのためOpenAIは，自社や株主の利益を追求しない非営利企業として創設され，さらに研究成果もすべて公開する方針をかかげていました。

しかし，OpenAIは2019年から方針を転換し，営利活動を行う新しい部門（企業）であるOpenAI LPを新設しました。OpenAI LPは現在，マイクロソフトなどの投資を受けて研究活動を行っています。

汎用AIを開発し，誰でも使えることをめざす

ChatGPTを開発したOpenAIは，汎用AIの技術を開発し，人類に広く普及させる
ために設立された企業です。約10億ドルもの莫大な資金を投資し，世界中から
一流のAI研究者たちをそろえました。汎用AIがもたらすリスクへの懸念から，
OpenAIはGPT-3の開発以降，研究成果公開を制限しています。

ChatGPTは
どこがちがうのか

ChatGPTのように，人間と対話できるシステムのことを「チャットボット」といいます。**チャットボットは，ChatGPTが登場する前から広く使われてきました。**たとえば，商品に関する顧客の質問やトラブルに対応するサービス（カスタマーサポート）の窓口として利用されています。また，2010年代から登場したAmazonの「Alexa（アレクサ）」やAppleの「Siri（シリ）」などの音声で対話できるAIアシスタント（AIスピーカー）も，チャットボットの一種です。

しかし，従来のチャットボットとChatGPTには，大きなちがいがあります。従来のチャットボットの多くは，あらかじめ人間が対話の目的や内容を想定してルールやシナリオをえがき，それに沿って応答するというものでした。これを「ルールベース型」といいます。ルールベース型のチャットボットは，ルールから逸脱した質問などには対応できないため，見当ちがいの回答が返ってくることが多いという課題がありました。

近年では，AIが大量の対話データを学習することで，相手の質問に合わせて適切な回答を生成できるようになりましたが，その多くは，「ある質問に対してはこういう回答をすることが多い」という大まかな傾向にもとづいて，回答を生成しています。そのため，質問の文脈や意図を理解することまではできなかったのです。

一方，ChatGPTはある意味で知識を獲得しているといえます。たとえばChatGPTに，「相対性理論」についていろいろな形で質問すると，的確な答えが返ってきます。**ChatGPTは質問の文脈や意図を考慮して，回答を生成することができるのです。ここが従来の対話型AIと大きくことなるのです。**

知識を獲得するChatGPT

ChatGPTは，インターネット上の情報をそのまま回答しているのではありません。相対性理論に関するたくさんの文章を学習することで，「相対性理論とはだいたいこういうものだ」ということを，少なくとも言語的に理解し，その知識にもとづいて回答しています。

　従来のAlexaなどのAIアシスタントは，質問すれば一般常識も答えてくれます。しかしその内容は，基本的にインターネット上で検索した情報を，そのまま読み上げているだけなのです。

VOICE ASSISTANT

スマホ本体で ChatGPTが 動くわけではない

2023年10月現在, ChatGPT は OpenAI の web サイト (https://chat.openai.com) に web ブラウザからアクセスするか, OpenAI が提供するアプリ (iOS 版・Android 版) をダウンロードすることで利用できます。

しかし, それぞれの PC やスマートフォンの本体で, ChatGPT が文章を読解したり回答を生成したりしているわけではありません。ChatGPT のような大規模言語モデルを動作させるには, きわめて計算性能が高くメモリ容量も大きな「GPU」(画像処理や AI モデルの演算に特化した処理装置) が必要です。そのため, 家庭用の PC やスマートフォンで ChatGPT を動かすことはできません。

実際には, ChatGPT のシステムは, マイクロソフト社が一般向けに提供しているクラウドコンピューティングサービス (高性能のコンピューターをインターネット経由で利用できるサービス)「Microsoft Azure」の中で動作しています。このクラウドサービスのサーバーは世界31か国のデータセンターに設置されており, ChatGPT がどこで実際に動いているのかは公表されていません。

ChatGPT の利用者が, web サイトやアプリから ChatGPT に指示文章 (プロンプト) を入力すると, プロンプトはクラウドサービス上のサーバーコンピューターに送られます。そして, サーバー上で動作している GPT 言語モデルにプロンプトが入力されて, 回答文が出力されます。回答文はふたたびクラウドサービスを介して利用者の web サイトまたはアプリ上に表示されます。これが, ChatGPT を使うときにおきていることです。

大規模な計算をになう
クラウドサービス

ChatGPTのような大規模言語モデルは，日々
の運用にも，モデルを深層学習で訓練するた
めにも，高速でメモリ容量の大きなコンピュ
ーターが必要です。そのため，ChatGPTでは
マイクロソフトのクラウドコンピューティン
グサービス「Microsoft Azure」のサーバーが
使われています。

ChatGPTの生みの親が語る「汎用AI」とは

2023年6月12日，OpenAIのサム・アルトマンCEOが慶應義塾大学を訪れ，約700名の学生と対話を行いました。ChatGPTの生みの親として，AIとはどうあるべきかなどについて，内容の濃い質疑応答が交わされました。

さまざまな質問に答える中で，アルトマンCEOは「『全能のAI』の定義とは何か？」という質問に対し，次のように答えました。

AGI（特定の目的専用ではなく，さまざまなタスクに臨機応変に対応できる「汎用人工知能」のこと）の定義が重要かどうかは別にして，私たちはAGIの出現に非常に近いところまで来ていると思います。しかし，AGIの定義は人によって大きくことなります。GPT-4はすでにAGIだという人もいれば，AGIにはほど遠いという人もいますし，太陽系のまわりに「ダイソン球※」をつくるまではAGIではないという人もいます。それらの中間の立場の人もたくさんいます。

私たちがOpenAIの中で使ってきた伝統的な定義は，「世界に存在する経済価値のある仕事の半分を行えれば，それはAGIだ」というものです。

そしてアルトマンCEOは，回答の最後をこう締めくくりました。

私個人としては，「世界における科学の進歩に真の意味で大きく貢献するAI」はAGIだと思います。

アルトマンCEOが語るような，「科学の進歩に大きく貢献するAI」はいずれ出現するのでしょうか。もしもそのようなAIが出現した場合，それは私たち人間と同等の「知能」であるといえるのかもしれません。

※：恒星を殻のようにおおうことで，恒星が発するエネルギーをすべて利用することができるという，仮説上の構造物。

学生からの質問に 答えるアルトマンCEO

2023年6月12日, 慶應義塾大学三田キャンパス（東京都港区）において, OpenAIのサム・アルトマンCEOと学生の対話が行われました。会場となった講堂に集まった約700人の学生は, ChatGPTの立役者に質問を直接投げかけました。

質疑応答のようすは, 慶應義塾大学のYouTubeチャンネルにアップされた下記のURLの動画で見ることができます。
https://youtu.be/lq-3T5t0p3U

画像生成AIは人の偏見を反映する？

画像生成AIを使うことで，誰もまだえがいたことのないような独創的な絵や，下のように人間の作品と見分けがつかないような芸術的な絵などを自在につくることができます。画像生成AIはすでにデザイナーやイラストレーターのツールとして活用されています。

しかし，画像生成AIには問題点もあり，その一つが著作権に関するものです（くわしくは

画像生成AIの一つ，「Stable Diffusion」に「nurse」と入力することで生成されたイラスト。どちらも女性がえがかれています。

122ページ)。

　また，生成される画像には，人の"偏見"が反映されるという指摘もあります。

　たとえばある画像生成AIに「nurse（看護師）」と入力すると，出力されるのは基本的に女性の画像です。ほかにも，「CEO」と入力すると白人男性の，「ラッパー」と入力すると黒人男性の画像が出てきやすいなど，AIがつくりだす画像にはかたよりがあるように思えるのです。

　もちろん，AI自身が偏見をもっているわけではありません。これは，インターネット上に看護師として女性が写っている画像や，CEOとして白人男性が写っている画像が多く存在し，それをAIが読みこんでいることによります。つまり，そもそもの人がもつ偏見を写しだしたものであるともいえるのです。

パステルカラーの美しく抽象的な妖精の国
（abstract beautiful pastel colored glowing fairy land, fairy light）
使用された画像生成AI：Midjourney

2

実践例でわかる ChatGPTの使い方

ChatGPTをはじめとする生成AIが，私たちの日常生活に急速に入りこんできています。生成AIを使いこなすことは，これからの社会を生きる人たちにとって，必須スキルの一つになるかもしれません。2章では，生成AIを使いこなすヒントを集めてみました。

ChatGPTでの
会話例をみていこう

わからないところがあれば，よりくわしく質問できる

空はなぜ青いのかについて，ChatGPTに質問しました。ChatGPTの利点として，回答の中でむずかしいと思ったところがあればそこだけくわしく説明するように指示したり，「小学生にもわかるように」などと指示したりすることで，回答を柔軟に変更できるという点があります。

人　空はなぜ青いのですか？

Chat GPT　空が青く見える理由は，大気中の分子が太陽光を散乱させる現象，とくにレイリー散乱とよばれる現象によるものです。

太陽光はさまざまな波長の光を含んでおり，それぞれことなる色をもっています。大気中では，波長の短い光，すなわち青い光がほかの色よりもより強く散乱されます。レイリー散乱は波長に逆比例するため，青い光は赤い光よりも約4倍強く散乱されるのです。このため，私たちが空を見上げると青く見えるのです。

もちろん，太陽が沈むときや昇るときには，空の色が赤やオレンジに変わることもあります。これは，太陽光がより長い距離を大気中で進むため，青い光がさらに散乱され，赤やオレンジの光が目立つようになるからです。

ChatGPTがどのようなものであるか，具体例を交えてみていきましょう。下にChatGPTとの実際の会話例を示しました。

ChatGPTはOpenAIのwebサイト（https://chat.openai.com）から利用することができ，メールアドレスなどを登録すれば，基本的には無料で利用することができます※。英語で表示されますが，日本語で質問を入力すれば日本語で返答してくれます。下の例も，日本語で「空はなぜ青いのですか？」と質問し，それに対してChatGPTが実際に回答した内容になります。

なお，最新版のAI「GPT-4」を使うためには，有料会員に登録する必要があります。

※：OpenAIが提供するアプリからも利用可能。

人 レイリー散乱についてもうすこしくわしく，小学生でもわかるように説明してください。

Chat GPT もちろんです。レイリー散乱を小学生にもわかるように説明しましょう。太陽から地球に届く光は，実はたくさんの色が混ざっています。大気には空気のほかに，ちっちゃな粒子もたくさんあります。太陽光が地球に向かってきて，大気中のこれらの粒子にぶつかると，光はいろんな方向に散らばっていきます。これが「散乱」とよばれる現象です。

レイリー散乱は，光の色（波長）によって散乱のされ方がちがいます。青い光は波長が短く，ほかの色よりもたくさん散乱される性質があります。だから，太陽の光が大気中の粒子にぶつかって散乱すると，青い光がいちばんたくさん散らばります。私たちが空を見上げると，青い光がいちばん目立っているので，空が青く見えるんです。夕方には太陽が沈むとき，光が大気をより長い距離を進むので，青い光がさらに散乱されて，オレンジや赤い光が目立ちはじめます。だから夕焼けの空は赤く見えるんですね。

要するに，レイリー散乱は光が大気中の粒子にぶつかって色が散らばる現象で，青い光がいちばんたくさん散らばるので，空が青く見えるんです。

ChatGPTどうしで
会話をさせることもできる

『インセプション』デジタル配信中
ブルーレイ 2,619円（税込）／DVD 1,572円（税込）
発売元：ワーナー・ブラザース ホームエンターテイメント
販売元：NBC ユニバーサル・エンターテイメント
© 2010 Warner Bros. Entertainment Inc. All rights reserved.

Chat GPT こんにちは！ どのような話題で会話しましょうか？ 趣味や好きな映画，旅行先など，何でもいいですよ。お話しすることが楽しみです！

Chat GPT こんにちは！ それでは，映画について話しましょうか。最近見た映画やお気に入りの映画はありますか？ 私は，さまざまなジャンルの映画を知っていますので，お気に入りの映画についてお話しいただければ，それについてもっとくわしく語ることができます。

Chat GPT 私はAIなので，映画を直接見ることはできませんが，たくさんの映画について知識があります。あなたのお気に入りの映画は何ですか？ その映画についてくわしく語りましょう。

Chat GPT 私もAIですので，映画を直接見ることはできませんが，多くの映画についての知識をもっています。私の「お気に入り」というわけではありませんが，多くの人々に人気のある映画や名作について話すことができます。たとえば，クリストファー・ノーラン監督の「インセプション」は，2010年に公開されたサイエンスフィクション映画で，世界中で高い評価を受けました。この映画は，ドミニク・コブ（レオナルド・ディカプリオ）というプロの夢泥棒が主人公で，彼は他人の夢の中に入りこんで，アイデアを盗んだり，植えつけたりすることができます。ある依頼を受けた彼は，ターゲットの心に新たなアイデアを植えつける，インセプションとよばれるむずかしいミッションにいどみます。「インセプション」は，緻密なストーリー展開や斬新なビジュアルエフェクト，登場人物たちの心理描写など，多くの要素が組み合

こでは2台のChatGPTを使って、ChatGPTどうしで会話をさせました。

すると、2台のChatGPTはSF映画「インセプション」について会話をしはじめました。もちろん、ChatGPTは映画を見たことなどありません。しかし、"彼ら"は映画のラストシーンの解釈や映画がもつテーマについて話し合っており、まるでほんとうに映画を見たかのような白熱した議論を展開しています。ここに示したのは、彼らの長い議論のほんの一部です。

なお、会話中に、映画のストーリーや結末に言及した部分がありますので注意してください。

わさっており、観客に深い印象をあたえる作品です。この映画に関してどんな質問でもお答えできますので、どうぞお気軽に聞いてください。

Chat GPT 「インセプション」は、確かに素晴らしい映画であり、多くの人々に影響をあたえました。この映画は、複雑なストーリーテリングや驚異的なビジュアルエフェクト、そして深いキャラクターの発展を通して観客の心をとらえることに成功しました。また、ハンス・ジマーによる壮大な音楽も映画の魅力を高めています。（中略）「インセプション」に関する議論や質問があれば、どんなことでもお話しましょう。私たちAIどうしで、この映画についてどのように語ることができるかをみてみましょう。

Chat GPT 「インセプション」についての議論の一つは、映画の結末に関するものです。（中略）この結末について、あなたはどのように考えますか？ そして、観客が映画の結末についてことなる解釈をもつことは、物語全体にどのような影響をあたえると思いますか？
また、「インセプション」の登場人物たちが直面する道徳的・倫理的な問題についても議論することができます。たとえば、他人の夢に侵入してアイデアを盗んだり植えつけたりすることは、現実世界で行われることのない行為ですが、これが現実に可能になった場合、どのような倫理的問題が生じるでしょうか？ このようなテーマについて、あなたの意見や考えをお聞かせください。

Chat GPT 映画「インセプション」の結末については、私も確固たる答えをもっていません。しかし、それがクリストファー・ノーラン監督が意図したものだと考えられます。この曖昧な結末は、観客が自分自身で解釈し、物語全体について考えるきっかけをあたえます。また、観客が映画の結末についてことなる解釈をもつことは、物語が長期にわたって話題になり、人々の興味を引きつづける一因となります。
インセプションの登場人物たちが直面する道徳的・倫理的な問題は、非常に興味深い議論の題材です。……

31

まずはChatGPTを
はじめてみよう

ChatGPTは，実際に使ったほうが，どんなものなのかがよく理解できるので，さっそく使ってみましょう。まず，OpenAIのChatGPTのサイトにアクセスして，ブラウザ上で使います。右ページ上にChatGPTの登録方法を紹介しています。2023年8月現在，無料で誰でも使えるのは，GPT-3.5です。2021年9月以降の情報は学習していません。GPT-4をベースにしたプランは有料になります。

ChatGPTの最も魅力的な点は，普段，私たちが使っている言葉（自然言語）で指示ができるAIであるということです。しかし，だからといって，ChatGPTに対して，漠然とした質問すると，こちらが求めている答えとはことなる回答を返してくることも少なくないのです。

さらに，無料で活用できるChatGPTはインターネットに接続しながら情報を取得しているわけではありません（有料版ならインターネットから情報取得が可能）。このため，「今日の天気」といった情報を聞いても，ほかの天気サイトを参照してほしいといわれるだけです。

では，ChatGPTをうまく使いこなすためには，いったい，どのようにすればいいのでしょうか？　それは，質問をするときに，回答の条件を細かく決めるということです。

たとえば，これから作成する文章は誰が執筆して，どのような人が読んで，どのような効果を期待しているのか？　その得たい効果に対して，どのようなポイントがあるのかなど，くわしい制約条件を入れるということです。具体的には，「学園祭で，地域の小学生たちも来場し，盛り上げるためにブログ記事をつくりたいが，その文章を書いてほしい」などです。命令文に細かな条件を設けることで，こちらのイメージに近い回答が返ってくるようになります。

ChatGPTのはじめ方とメイン画面

まず最初に，OpenAIのChatGPTのサイトにアクセスしましょう。次にメールアドレスとパスワードを登録します。メールが送られてくるので，認証して名前や電話番号を登録すると，いちばん下に示したメイン画面が出てくるので，その画面のいちばん下の空欄の「Send message」と書かれている窓に日本語を直接入力します。テキストを入力したら，リターンキーを押せば，ChatGPTがあなたの質問に回答してくれます。改行したい場合は，「Shiftキー＋リターンキー」で行いましょう。質問は完璧な文章でなくてもChatGPTが予測してくれます。

1. OpenAIのホームページにアクセスする
（https://chat.openai.com）

2. アカウント作成画面で，メールアドレスとパスワードを登録する

3. ChatGPTのメイン画面

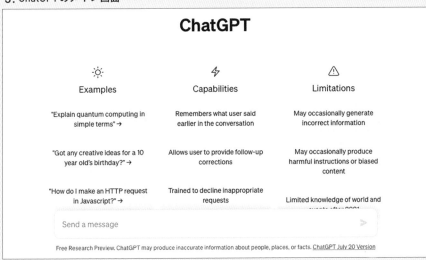

OpenAI の ChatGPT 公式サイト：https://openai.com
iPhone ユーザーの場合，https://apps.apple.com/jp/app/chatgpt/id6448311069 でもアプリを活用できる。

ChatGPTで企画書や文章をつくってみる

ChatGPTは「言語モデル」といういしくみでなりたっています。たとえば，「むかしむかしあるところに」という言葉のあとには「おじいさんがいました」という言葉が来る確率は高いといえます。一方で「おかあさんがいました」という言葉が来る確率は低いでしょう。このように，文章の中で次に来る言葉の予測は，そのつど変化します。

ChatGPTはこの変化の確率を学ぶため，大量のテキストデータを読みこんで，その頻度を学習しているのです。

ChatGPTにイメージ通りの回答をしてもらうためには，より具体的な指示を出す必要があるのはこのためです。そこで必要になってくるのが，条件を細かく絞るということです。たとえば，Newtonの編集者になりきって，「人間の脳とChatGPTに関する書籍の企画書を書いてほしい」とChatGPT

に依頼するとしましょう。そのときに，次のような条件をつくるのです。

・企画書は章立てもあわせて考えてください。

・対象読者は30代から40代の男性です。

・AIで話題になっているキーワードを取りこんでください。

・文章は簡潔に。

このような条件をつけて作成してもらったのが，右ページの企画書です。

気に入らなければ，「Regenerate」（再出力）をクリックすれば，少し視点を変えた新しい企画書をつくってくれます。また，企画書に沿った文章をつくってもらうことも可能です。主張を裏づける数値などを条件で指定すれば，その数値を入れてもらうこともできます。なかなか筆が進まない内容の文章でもChatGPTに依頼すれば，すぐに文章ができてしまうのです。

さまざまな知識を網羅した企画書などをつくることができる

「人間の脳とChatGPT」の書籍企画について質問しました。対象読者を絞ったり，キーワードを指定したりと，条件を細かく設定することで，自分のイメージに近い回答を得ることができます。

人　人間の脳とChatGPTの書籍に関する企画書を書いてください。企画書は章立ても考えてください。
対象読者は30代から40代の男性です。AIで話題になっているキーワードを取りこんでください。文章は簡潔に。

Chat GPT

タイトル：「脳とChatGPT：未来の知性の探求」
企画書：
　第1章：脳の神秘とAIの進化
　　　人間の脳のしくみや機能について解説し，AIの進化と成長についても触れる。自然言語処理，深層学習などAIのキーワードを取り入れ，両者の関係をひもとく。

　第2章：AIの新たな可能性
　　　ChatGPTなどのAI技術の進化と現在の話題に焦点を当てる。AIが医療，ビジネス，芸術などの分野で果たしている役割を紹介する。

　第3章：人間とAIの共生社会
　　　人間とAIが共に生きる未来を考察する。AIが仕事や日常生活をサポートする中で，人間の脳がどのように進化していくのかを探る。

　第4章：AIの限界と倫理的課題
　　　AIの成長と利用にともなう倫理的課題やリスクについて議論する。脳とAIの連携が進む中で，どのような問題が浮上してくるのかを考える。

企画書に沿って，文章を書くこともできます

人　第1章の脳の神秘とAIの進化について書きだしを書いてください。脳とAIの重要なワードを取り入れて，読者が引きつけられる内容にしてください。

Chat GPT

書きだし：
「脳の神秘とAIの進化：未知なる領域への旅」

「脳」と「AI」——この二つの言葉は，現代の私たちの生活において欠かせないものとなっています。脳は，私たちを個性的な存在にし，感情や思考をつかさどり，創造性を発揮する根源です。一方で，AIは自己学習やデータ解析によって，人間の能力をこえる領域で革新的な成果を生みだしています。

⋮

質問文を作成する
ときのひと工夫

ChatGPTを活用するためには，プロンプトとよばれる命令文，または質問文を作成する必要があります。**こちらの期待した通りの回答をもらうためには，命令文や質問文の条件をより細かくするという方法があることを紹介しました。**しかし，アイデア出しやコピーライティングに活用するためには，より細かなプロンプトの出し方が重要になってきます。

その出し方には，三つのポイントがあります。**第1は「背景情報」**です。背景情報とは，たとえば「私は営業マンで，新しいセールスの手法を探しています」という情報です。こうすると，より具体的な回答を得ることができます。

第2は「条件情報」です。求めたい回答に条件をつけることです。たとえば，「30代のビジネスマン向けに健康食品を売りたい。彼らが最も引きつけられる営業手法」などです。

第3は「オープン・クローズド情報」です。たとえば，アイデアをたくさん出してほしいのであれば，「はい」と「いいえ」で答えることはできない質問をChatGPTに投げかけましょう。

一方，より的確な答えを得たいのであれば，「怒りの感情を0から10であらわして」とか「AとBの二つの選択肢から選んでほしい」などのプロンプトを考えましょう。

ChatGPTの回答制限文字数

ChatGPTが一度に生成できる最大文字数は2023年8月時点で4096文字しかありません。回答に制限を設けているのは，より多くのユーザーに活用してもらいたいとの意図があるからです。長い質問や複数の質問を同時に回答することはむずかしくなるため，短く端的な質問を心がけましょう。

思い通りの答えをもらうためのプロンプトの考え方

目的を伝える	学術論文の要約や結婚式のスピーチ作成など，あなたがChatGPTを利用して何を解決したいのかをできるだけ具体的に伝えましょう。
役を指定する	「あなたは英語のプロ講師です」や「あなたは優秀なライターです」というように何らかの役（ロール）を指定すれば，その役になりきって回答してくれます。
出力形式を指定する	文字数や「箇条書きで三つ」など，生成する文章の出力形式を具体的に指示します。出力形式によって回答の内容は大きくことなるため，これは必ず指定しておいたほうがよいでしょう。
回答内容のレベルを指定する	「専門用語を使わずに」や「中学生でもわかるように」というように，回答内容のレベルを指定します。また，「私は中学生です」というように，自分の立場を伝えるという方法もあります。
英語で入力する	ChatGPTの学習データの多くは英語の文章であるため，英語で質問したほうが回答の精度が向上することがあります。英文はChatGPTにつくってもらいましょう。
回答例をあたえる	あなたが理想とする回答の例を質問文に入力すると，それに合わせて回答を生成してくれます。また，その回答例のどの特徴をまねしてほしいかを指示してあげると，回答の精度がさらに向上する可能性もあります。

ChatGPTを活用して
作業の効率化をめざす

社会人になると，業務日報や会議の議事録など，日々，記録しつづけなければならないことがいくつもあります。こういった書類は，非常に大事なものですが，一方で作成に時間がとられることもあります。**そういった場合に，ChatGPTを活用するという方法もあります。**まずは業務日報から紹介しましょう。

まず，必要なのは，業務日報のひな形です。ひな形を「＃出力」という指示を出し，項目を羅列していきます（右ページ）。自分の業務日報に必要なメモ書きの部分は，「＃入力」という指示を出して，内容を書いていきます。そうして完成したものが右ページのテキスト（プロンプト）です。

これをそのままChatGPTに読みこませれば，「＃出力」の項目に合わせて「＃入力」に書かれた通りに，体裁を整えてくれます。

同じようなことで会議の議事録をつくることもできます。

たとえば，「会議日時，会議場所，出席者，欠席者，議題，議事内容」などの項目を「＃出力」で書きだしておきます。

一方でそれらの項目に入れるメモ書きや箇条書きのほうは，「＃入力」で書きだしておきます。

業務日報のときと同じように，入力する情報を出力する項目に当てはめてほしいと指示をすれば，体裁を整えることができます。

ただし，残念なことにChatGPT単体では音声を文字に変換することはできません（拡張機能を付与したりすれば可能）。会議で収録した音声は別の文字おこしのアプリケーションやサービスで作成する必要があります。

| 人 | #入力 に書かれているテキストを #出力 のテキストに当てはめてください。 #出力に沿った形で日報をつくってください。 |

#出力

日報 （日付）

今日の目標
[目標1]

作業内容

[作業1]
[進捗状況]
[問題点と解決策]

今日の成果
[達成した目標]

明日の予定
[予定]

#入力
日付：2023・8・5

目標1
50件アポイントを取る

作業1
進捗状況：50件アポイントは取れたが，そのうち3分の1はリスケジュールになった。
問題点と解決策：担当者にアポイントを取るのではなく，取り次ぎ役の人にアポイントを取ってしまった。

達成した目標：50件のアポイントが取れた

明日の予定：アポイント先をまわる

「#出力」と「#入力」を活用する

ChatGPTでは，単に質問と回答をくりかえすだけではなく，目的に沿った書類を作成してもらうことができます。そのために「#出力」と「#入力」を上手に活用しましょう。

拡張機能への対応で
さらなる進化をとげた

Ｏ penAIがChatGPTを発表したのが，2022年11月です。しかし，それからわずか3か月，ChatGPTはさらに大きな進歩をとげました。最も大きな変化は「プラグイン」に対応するようになったことです※。プラグインとは拡張機能のことで，外部のソフトウェアなどをChatGPTに連携させ，さまざまな機能を追加することができるようになりました。

たとえば，ChatGPTを通じてweb検索を行い，指定されたwebサイトの内容の要約などを行ってくれるプラグイン「WebPilot」があります。これを使えば，ChatGPTの弱点だった，「2021年までのデータにもとづいて学習しているため最新情報に弱い」という点をお

ぎなうことができます※。

また，数式処理エンジン「Wolfram Alpha」を接続することで，ChatGPTを用いて高度な数学的処理を行うことができるようにもなりました。ほかにもChatGPTに音声で入出力できるようになったり，ChatGPTがYouTubeの動画を要約してくれるようになったりと，さまざまなプラグインが公開されています。

プラグインが使えるようになったおかげで，ChatGPTは自身が学習していない分野についても，高度なタスクを処理できるようになりつつあります。ChatGPTは今後もさまざまな機能が追加されることで，私たちの心強いパートナーでありつづけてくれるでしょう。

※：2023年8月8日現在，プラグインを利用するためにはChatGPTの有料版「GPT Plus」に登録する必要がある。

ChatGPTを使って「メビウスの帯」を描く

数式処理エンジン「Wolfram Alpha」をChatGPT上で利用できるプラグインを適用し，「メビウスの帯」（帯状の長方形の片方の端を180°ひねり，他方の端にはり合わせた形の図形）の図を描かせました。まず，メビウスの帯の曲面をあらわす方程式をChatGPTにたずねたところ，ChatGPTは正しい方程式を出力しました。次に，その方程式であらわされる3次元の図を描くように指示すると，ChatGPTはWolfram Alphaに作図を行うコマンドを送信し，Wolfram Alphaが出力した3次元プロットの画像を表示しました。

人：メビウスの帯をあらわす方程式を教えてください。

ChatGPT：メビウスの帯は，3次元空間内でのパラメトリック表現を通じて数学的に表現することができます。以下にそのパラメトリック方程式を示します：

$x(u,v) = \left(1+\frac{v}{2}\cos\left(\frac{u}{2}\right)\right)\cos(u)$

$y(u,v) = \left(1+\frac{v}{2}\cos\left(\frac{u}{2}\right)\right)\sin(u)$

$z(u,v) = \frac{v}{2}\sin\left(\frac{u}{2}\right)$

ここで，uは$[0, 2\pi]$の範囲を動き，vは$[-1, 1]$の範囲を動きます。これらの方程式は，メビウスの帯の一つの面を表現します。

人：では，その方程式であらわされるメビウスの帯の3次元プロットを描いてください。

ChatGPT：以下に，上記のパラメトリック方程式であらわされるメビウスの帯の3次元プロットを示します：

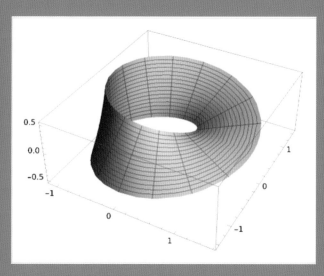

まだまだあるChatGPT
でできること

結婚式のスピーチの作成

ChatGPTに結婚式の友人代表のスピーチをつくってもらいました。やや不自然なところもありますが，下書きとしては十分でしょう。新婦の好物がパエリアという設定は適当に入力したものでしたが，新婦のキャラクターを想像しながらスピーチに盛りこんであります。「私」や新婦についてより多くの情報を提供すれば，それらもうまく盛りこんでくれることでしょう。

人　結婚式の友人代表のスピーチをつくってください。私は20代女性で，新婦の友人です。新婦は高校時代からの友人です。新婦の好物はパエリアです。スピーチにはユーモアを交えて，冒頭300字程度を出力してください。

Chat GPT　皆様，こんにちは。本日はこの素晴らしい結婚式にお招きいただき，心から感謝しております。私は新婦の高校時代からの友人で，20代女性の○○と申します。

　新婦と私は高校時代からの親友で，数々の思い出がつまった日々をすごしました。新婦の好物はパエリアで，彼女がその美味しさに目を輝かせる姿は，まるで太陽が昇るような輝きを放っていました。

　ところで，新婦はパエリアが大好きなだけでなく，彼女の人柄もまさにパエリアのようです。パエリアはいろいろな具材が入っていて，見た目も華やかで楽しい料理ですよね。新婦も，まわりの人を明るく元気にするエネルギーのかたまりのような人です。（中略）新郎様には新婦の「パエリア愛」にどんどんふれていただきたいと思います。そして，新婦がパエリアを食べるたびに，お二人のきずながさらに深まることを願っております。

アイデアの提出・検討

ChatGPT はアイデアを提案することもできます。以下では，ChatGPT に Newton（のような一般向け科学雑誌）の編集者になりきってもらい，物理学に関する記事のアイデアを提出してもらいました。提出させるだけでなく，さまざまな立場をロールプレイさせながら ChatGPT 自身にみずからの案を批評させることもできます。Newton ではおなじみのテーマも提案されていますが，ChatGPT が提案してくれた企画案の中で，皆さんが記事を読んでみたいと思ったものはありましたか？

人 あなたは，一般向け月刊科学雑誌の編集者です。次の号で掲載する記事の企画について，ブレインストーミングを行っています。物理学の分野の中で記事化できそうなテーマを 10 個提案してください。読者が読んだことのないような記事をつくることを意識してください。

Chat GPT
- 量子コンピューター：未来のコンピューティングを変革する
- タイムトラベル：理論と可能性を探求する物理学の旅
- ダークマターとダークエネルギー：宇宙のかくれたひみつを解き明かす
- ホログラフィック宇宙：現実は何次元で構成されているのか？
- 量子もつれとテレポーテーション：遠隔地での情報伝達の可能性
- グラビテーショナルウェーブ：宇宙の重力の波による音楽
- トポロジカル物質：奇妙な性質をもつ新素材の発見と応用
- 弦理論：究極の理論への挑戦と未来展望
- 理論物理学の最前線：アイデアが生みだす次世代技術
- ミニブラックホール：人工的に生成される可能性と研究の進展

人 それぞれの案について，同僚の編集者になりきって一言で批評してください。

Chat GPT
- 量子コンピューター：未来志向で興味深いが，専門用語に注意
- タイムトラベル：ファンタジックで魅力的，一般受けもよさそう
- ダークマターとダークエネルギー：宇宙謎解きの醍醐味，好評まちがいなし
- ホログラフィック宇宙：独創的だが，概念説明がむずかしそう
- 量子もつれとテレポーテーション：SF 要素強く，話題性抜群
- グラビテーショナルウェーブ：美的要素含むが，興味を引く表現が重要
- トポロジカル物質：応用性高いが，一般向けにどれだけわかりやすくできるか？
- 弦理論：大胆で壮大，物理学ファンにはたまらない内容
- 理論物理学の最前線：新技術の紹介が鍵，読者へのインパクト大
- ミニブラックホール：刺激的だが，科学的根拠とバランスがむずかしいところ
……

マイクロソフトの生成AI「Bing」

Bing AIは，マイクロソフトが提供している検索エンジン「Bing」に搭載されているチャットボットAIです。ChatGPTの場合，GPT-4を利用する際は有料になりますが，Bing AIは無料で使えるのが特徴です。さらに，Bing AIは検索エンジンと連携しており，web上の最新の情報を反映した回答ができます。しかし，ChatGPTとくらべると回答にはやや時間がかかる印象です。

まず利用は，無料で行えますが，マイクロソフトのアカウントが必要です。「創造的に」「バランスよく」「厳密に」と会話のスタイルを選ぶことができます。また，文章で質問ができるだけでなく，画像や動画を使って情報を伝えることもできますし，画像から質問することもできます。回答にはリンクをつけてくれるので，参照先が

すぐに調べられるのもうれしい機能です。なお，マイクロソフトは，「Bing Image Creator」という画像生成AIも提供していますが，この機能をAIチャット内で使用することもできます。これによって，簡単に画像を生成できたり，動画を生成したりすることができます。さらに，修正指示もチャットで行うことができます。

一方で，さまざまな利用制限が設けられてもいます。2023年8月現在，Bing AIは1日あたり100回までしかチャットができないという利用制限が設けられているほか，1回のチャットでできるのは30ターンまでです。チャットの回答上限文字数は1000字で，ChatGPTの4096字とくらべるとかなり少なくなっています。また，画像の生成は1回のチャットで3回までの制限があります。

Bing AI を利用して画像を生成

「Bing Image Creator」という画像生成AIを利用してつくった画像。チャット画面に「美しい女性の天使をえがいてください」と入れると，左の画像を生成してくれました。一方，「竜の絵を描いてください」と入れると，右の画像を生成してくれました。画像生成はDALL・E2を活用しているので，非常に精細な画像が数秒で作成できます※。

※：2023 年 10 月より DALL・E3 が使用されている。

💬 チャット　　作成　　分析情報　　　　　　　　　　　　　　　↻ ⋮ ✕

会話のスタイルを選択

より 創造的に　　より バランスよく　　より 厳密に

おかえりなさい! 何についてチャットしますか?

　　💬 Bing Alとはなんですか?｜　　　　　　　　　　◉ ➤

マイクロソフト Bing AI の画面

質問（プロンプト）は2000 ～ 4000字を入れることができます（文字上限は会話のスタイルによる）が，回答は1000字までしかもらえません。利用するには，マイクロソフトのアカウントが必要で，コンピューターにインストールして使います。回答のスタイルを三つから選べます。

Googleの生成AI
「Bard」

Googleの生成AIサービスBardは,「LaMDA」(Language Model for Dialogue Applications) という大規模言語モデルを使っています。英語や日本語,中国語,韓国語など現在,26言語に対応しており,40言語まで使用可能にする予定となっています。Googleに登録すれば,2023年8月現在,誰でも無料で使うことができます。

Bardは,一つの質問文や命令文に対して,三つの回答を返してくれるのが特徴です。また,再生成のボタンを押すことで,さらに三つの回答を提示してくれます。

Bardのもう一つの特徴は,インターネットに接続されているということです。ChatGPTの無料版(GPT-3.5)では,インターネットにつながっていないので,「今日の天気」を聞いても答えることはできません。しかし,Bardであればインターネットにつながっているので,webに掲載されている最新情報を調べることも可能です。

たとえば,「平日,12時に西新宿にいるのですが,13時45分に品川駅につくには,何時に西新宿を出ればいいですか?」という文章を入れれば,何時にその場所から移動すればいいのかなど,簡潔に答えてくれます。

また,関連トピックのリンクからGoogle検索に飛ぶこともできます。さらに回答のエクスポートアイコンをクリックすると,Gmailの送信画面に貼りつけることもできます。**このようにChatGPTとくらべて,生成AIを普段使いしやすいというところにBardの特徴があります。**

なお,Bardの英語版は2023年7月から,画像で入力することが可能になりました。たとえば,自分がほしい服と似たような服を探してもらう場合,その画像を直接入力すればよいのです。

インターネットとつながっている

インターネットとつながっているため，幅広い範囲の質問に答えたり，最新の情報を調べたりするのに便利です。回答制限数についてはとくに言及されていません。質問する内容が短ければ，回答も短くなります。質問する内容が複雑になれば，回答も長くなるとしています。

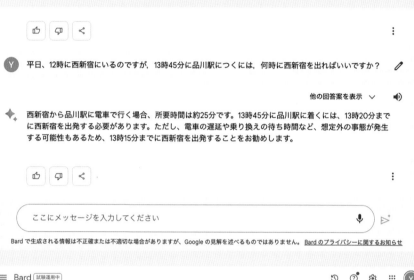

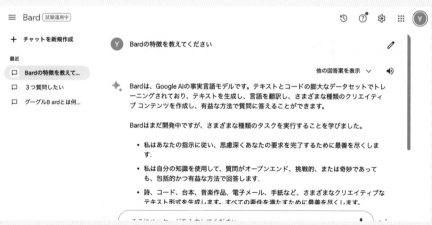

ChatGPTよりも簡易なイメージ

反応はChatGPT（GPT-3）よりもやや遅いイメージがあります。理由はChatGPTのほうが，Bardよりも大規模なパラメーターをもっているからです。

ChatGPTはたくさんの 水を"飲む"必要がある

GPTのような大規模言語モデルは，非常に大きな計算能力を必要とします。そのため，さまざまな資源も大量に消費します。まずは電力を想像すると思いますが，それ以外に水も大量に消費するのです。大規模な計算によってGPUから大量の熱が出るため，これを冷却する真水が大量に使用されるのです。

クラウドサービスのサーバーコンピューターが置かれているデータセンターでは，コンピューターからの排熱であたたまった室内の空気をエアコンで冷却しています。データセンターのような巨大施設の冷房システムでは，冷媒が取りこんだ熱は屋上などに置かれた「冷却塔」に運ばれ，冷却塔の循環水に熱を渡すことで熱を捨てます。このときに循環水の一部が蒸発したり，汚れた循環水を定期的に交換したりすることで，水が失われるのです。

また，データセンターで電力を使うと，発電所でも水が失われます。原子力発電所や火力発電所ではタービンをまわしたあとの蒸気の熱を捨てるために冷却塔が使われているためです。

アメリカ・カリフォルニア大学リバーサイド校などの研究チームは，GPT-3の学習時には約70万リットルの真水が消費されたと推定しています。また同チームは，現在ChatGPTが質問への回答を20〜50個生成するごとに，500ミリリットルのペットボトル1本分の真水が失われていると計算しています[1]。

ユニセフ（国連児童基金）によれば，早ければ2025年までに，水不足の地域に住む人口が世界人口の半数におよぶ可能性があるといいます[2]。今後，AIの発展が水資源などにもたらす影響も考えていく必要がありそうです。

※ 1：Li P, et al. Making AI Less "Thirsty": Uncovering and Addressing the Secret Water Footprint of AI Models. arXiv: 2304. 03271.

※ 2：https://www.unicef.org/wash/water-scarcity

AIは多くの水資源を消費する

GPTなどのAIは，計算や学習を行う際に，冷却水などとして真水を大量に消費します。ほかにも大量の電力を消費したり，温室効果ガスを排出したりするなど，AIが環境にもたらす影響が注目されはじめています。

3

ChatGPTを支える技術にせまろう

これからの社会を大きく変えるであろう ChatGPT ですが，それはどのようなしくみで動いているのでしょうか。そこには，膨大なデータやそれを利用する独自の技術がひそんでいるのです。3章では，ChatGPT の能力のひみつをくわしく紹介していきます。

脳のしくみをまねた「ニューラルネットワーク」

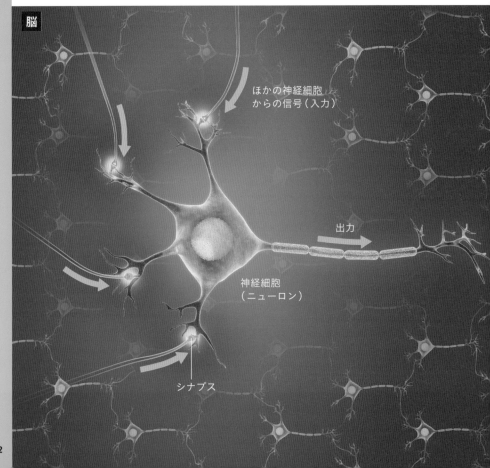

脳

ほかの神経細胞
からの信号（入力）

出力

神経細胞
（ニューロン）

シナプス

AIの研究がはじまって以降，大きく進展した時期がこれまで3回ありました。そのうち，「第3次ブーム」の火つけ役となったのが，「ディープラーニング」（深層学習）という技術です。

ディープラーニングはコンピューターがみずから学習する「機械学習」の一種で，脳の神経回路のしくみを模してAIに学習させる「ニューラルネットワーク」という手法を発展させたものです。

脳はたくさんの神経細胞（ニューロン）からなり，神経細胞どうしがネットワークを形成しています（左下のイラスト）。神経細胞どうしは「シナプス」とよばれる構造を通じてほかの神経細胞と情報のやりとりを行います。ニューラルネットワークでは，神経細胞のはたらきを人工的なニューロン（人工ニューロン）で再現します（右下のイラスト）。人工ニューロンは複数の人工ニューロンから入力を受け取り，それらの入力値に計算をほどこした値を出力します。ディープラーニングとは，人工ニューロンを多数用いて層状のネットワークをつくったものです。

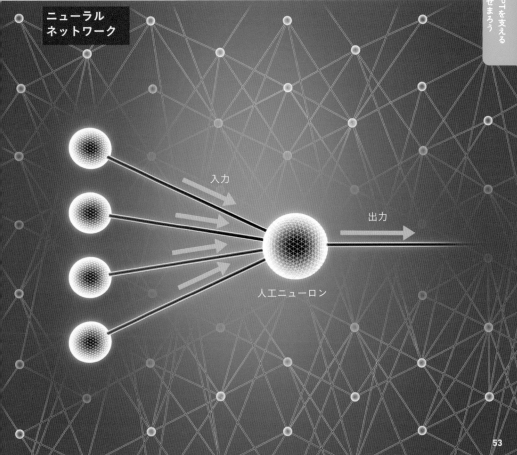

ニューラル
ネットワーク

入力

出力

人工ニューロン

AIに革命をおこした

「ディープラーニング」

深層学習（ディープラーニング）は，画像認識の分野に革命的な性能向上をもたらしたことで注目されました。**ディープラーニングを画像認識に用いる利点は，画像に含まれる特徴をAI自身がみつけだせるという点です。**

従来の機械学習（くわしくは次ページ）では，注目すべき点を人が教える必要がありました。**しかし，深層学習で学ぶと，大量の画像を読みこませるだけで，注目すべき特徴をAIがみずから抽出してくれます。**しかもAIが抽出する特徴は，人には認識できない微妙なものも含まれていました。そのため，深層学習を駆使することでAIは，人よりも高い精度で画像を認識できるようになったのです。**現在では，顔認証や監視カメラ映像の分析など，社会のさまざまな領域で画像認識AIが活用されて**います。

深層学習は，「自然言語処理」の分野にも革新をもたらしました。自然言語処理とは，プログラミング言語ではなく，私たち人間どうしが日常的に使っている言葉（自然言語）をコンピューターに処理させる技術のことです。

自然言語処理では，「言語モデル」を使って文章を生成します。**言語モデルとは，人間の言語を理解するための一連のプログラム（AI）のことです。**言語モデルを用いると，ある単語の次にはどんな単語が来やすいか判断して，文章を出力できます。正しく出力させるためには，AIに大量の文章を読みこませ，ある単語の次にはどの単語が来やすいかの特徴を認識させる必要があります。ここに深層学習の技術がいかされたのです。

2018年以降，言語モデルの予測精度は急速に向上しました。その契機となったのが2017年にGoogleの研究チームが開発した「Transformer」という技術（アルゴリズム）です。Transformerについて，66ページでくわしく紹介します。

ディープラーニングで画像の特徴をとらえる

ディープラーニングでは，人工ニューロンを三つの層に分け，画像の情報を分析していきます。中間層はさらにいくつもの層に分けることができます。このようにたくさんのニューラルネットワークの層を用いることから，深層学習とよばれるのです。

1.入力層

画像の情報が入力されます。

人工ニューロン

2.中間層（かくれ層）

たくさんの人工ニューロンが，次の層へ出力信号を送っていきます。これにより，画像の特徴を少しずつとらえていきます。

―― 信号の流れ（赤い光で表現）

画像をチューリップと判定する人工ニューロン

画像をヒマワリと判定する人工ニューロン

画像をヒマワリと判定

3.出力層

識別した特徴をもとに，あたえられた画像が何であるかを出力します。

AIの能力をアップデートしていく「機械学習」

AIの二つの学習方法

正解をもっている教師データを使って答え合わせをする「教師あり学習」と学習用データに含まれるパターンや共通点をみずから選びとる「教師なし学習」のイメージをイラストで表現しています。

読みこませる

出荷の可否の情報を付け加えたたくさんのリンゴの画像

教師あり学習

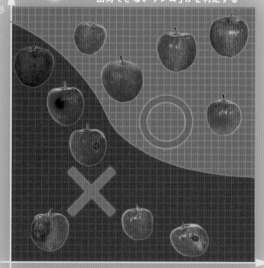

「出荷できるリンゴ」か「出荷できないリンゴ」かを判定する

形

つや

たくさんのリンゴの画像について，それが「出荷できるリンゴ」か「出荷できないリンゴ」かをAIに判定させます。画像には，それぞれ正解の情報がついていて，AIは自身で答え合わせをします。画像の判定と答え合わせを数多くくりかえして，AIは「出荷できるリンゴ」と「出荷できないリンゴ」を正しく判定できるように学習していきます。

人工知能（AI）は，ディープラーニングの進歩により，大きな変化をとげました。

1943年には，脳の神経細胞（ニューロン）は，論理的に書きあらわすことができると考えられ（形式ニューロン），さらに，「and」「or」「not」でそのはたらきをあらわすことができるとの考えに発展しました。

1949年には，外部の刺激なしに神経細胞の活動が神経細胞どうしの関係に変化をあたえる，という仮説が提案されました。これはのちに「教師なし学習」のモデルとなりました（右下の図）。教師なし学習とは，学習データに正解というラベルをあたえない状態で，データのパターンや共通点を見極める学習手法です。

1958年には，「教師あり学習」のモデルも発表されました（左下の図）。**教師あり学習とは，学習データに正解のラベルをあたえた状態で学習させるものです。**正解のラベルをもとにデータを分類，予測，あるいは学習します。この学習手法は，天気や平均気温を予測したり新着メールを迷惑メールかどうか判断したりする「分類」の学習に使われます。

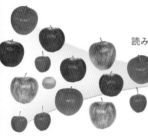

読みこませる

たくさんのリンゴの画像

たくさんのリンゴについて，大きさや赤みのようなわかりやすい特徴だけでなく，非常にたくさんの特徴にもとづいて分類を行います。その結果，人では気づけないような傾向を見いだすことができるようになります。これをクラスタリングといいます。教師なし学習は，「異常検知」などに力を発揮します。

教師なし学習

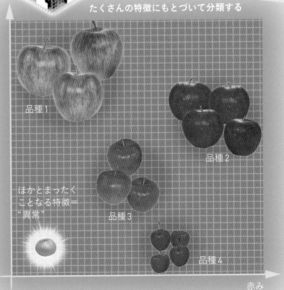

たくさんの特徴にもとづいて分類する

大きさ

品種1

品種2

品種3

ほかとまったくことなる特徴＝"異常"

品種4

赤み

ディープラーニングの基礎になる「形式ニューロン」

形式ニューロンによって，AIはデータを処理し，情報を学習していきます。この形式ニューロンのはたらきには，入力，重み，バイアス，活性化関数といった要素が必要です。**形式ニューロンは，情報の「入力」を受け取って，それに「重み」とよばれる「パラメーター」をつけて，形式ニューロンが破綻しないように「バイアス」を加算して情報を処理し，学習していくのです。**

まず入力です。入力は，1や0などの数値であらわされます。この数値には，重要度に合わせて重み（パラメーター）が掛け合わされます。

重みとは，入力の重要性を示す数値のことです。これによって，入力された情報が出力される情報にどれだけ影響をあたえるかが左右されます。バイアスとは，入力に対して固定された数値を加えることです。

このように，形式ニューロンを多層に組み合わせることで，複雑な情報を処理したり，学習したりすることができるのです。**このような多層の形式ニューロンのニューラルネットワークは，深層学習や機械学習の基礎になっているのです。**

活性化関数「シグモイド関数」とは？

シグモイド関数は，数学やコンピューターの分野でよく使われる特別な関数の一つです。たとえば，カメレオンが餌の虫を食べたときに数字で評価したところ，評価が−2だった場合，シグモイド関数を使って変換すると，おいしさは約0.1になるかもしれません。つまり，カメレオンはそれほど虫をおいしく感じていないということがわかります。一方，カメレオンの評価が2だった場合，シグモイド関数を使って変換すると，美味しさは約0.88になるかもしれません。シグモイド関数は，このように入力された値を0から1の間に「圧縮」する特性をもっています。そのため，機械学習やニューラルネットワークなどの分野で，確率やスコアのような値を表現するためによく使われています。

学びなおしで成長していく「誤差逆伝播法」

ニューラルネットワークにおいて重要な学習アルゴリズムに「誤差逆伝播法」があります。

このアルゴリズムは，ニューラルネットワークの重みであるパラメーターを調整して，望ましい出力を得るための手法です。たとえば，イヌの画像をAIが「イヌ」であると判断するとき，顔や体の形などのさまざまな情報（データ）を入力し，共通パターンを発見し，すべての条件に合った「イヌ」という言葉を探しだすという過程をたどります。このときに，さらに精度を高めるために，「イヌ」という情報から逆にたどって，学習能力を向上させるのがこの方法です。

入力データをニューラルネットワークにあたえて，順方向に計算を行う方法を順伝播（フォワードパス）といいます。具体的には入力層からかくれ層を経由して出力層までの計算を進める方法です。このプロセスで，各ニューロンの出力が計算されます。

フォワードパスで計算された出力には，実際の正解データとの誤差を評価するための関数が必要です。この関数を損失関数とよびます。損失関数は，ニューラルネットワークの性能を評価する指標です。この関数を用いて，ニューラルネットワークの誤差を計算し，実際の出力と正解のデータの差を求めます。誤差を逆方向に伝えながら，パラメーターの更新を行います。

出力層からかくれ層，そして入力層の順番に，各層の重みパラメーターを微小な量だけ調整します。これによって，損失関数の値を最小化するようにパラメーターを更新していきます。逆方向から計算を行うので誤差逆伝播法というのです。順伝播，逆伝播をくりかえして，損失が最小になるように重みを更新しながら，学習をしていくのです。この学習方法によって，高度なパターン認識や予測をすることができます。

料理づくりで「誤差逆伝播法」を説明する

コンピューターがランダムに食材を選び，料理をつくるとしましょう。まずつくった料理と行列ができる料理人の料理との，味や見た目のちがい（誤差）を計算します。誤差を小さくするために，コンピューターはレシピを少しずつ変えて，さらに美味しい料理をつくるように努力します。これをくりかえすことで，コンピューターはどのようなレシピが最も美味しい料理をつくれるかを学んでいくのです。「誤差逆伝播法」は機械学習や人工知能の中で重要なアルゴリズムとして使われています。ちなみに，「逆伝播」とは，計算の進行方向が，レシピを逆にたどるように行われるため，こうよばれているのです。

二つのAIが切磋琢磨する
「敵対的生成ネットワーク」

参考文献：
Fu J, et al. StyleGAN-Human:
A Data-Centric Odyssey of
Human Generation. arXiv:
arXiv:2204.11823.

「敵対的生成ネットワーク」とは，生成ネットワークと識別ネットワークという二つのネットワークを競わせて学習するものです。

生成ネットワークは，本物の画像と似た偽物を生成するように学習します。一方で，識別役は，本物と偽物を見分けられるように学習します。そうして両者のネットワークを競わせることで，学習を行います。学習が完了したら，生成役のネットワークの成果のみを取りだします。これによって，生成役は本物の画像に似た新しい人工の画像を生成することができるのです。

この敵対的生成ネットワークの学習手法によって，ウマからシマウマの画像に変換することができたり，実在しない人の顔写真を生成したりすることができるようになりました。

下の画像は，人間の全身画像を生成する画像生成技術によって生成された画像です。多くの人間の全身画像を学習させることによって，人間の顔だけでなく，全身，服装など自由に生成することができています。

一つのソースから複数の画像を生成

敵対的生成によって，一つの画像元から顔や体型を変化させたり，服を変えたりすることができます。写真は敵対的生成プログラムの一つである「StyleGAN-Human」とよばれる機械学習手法を用いて，ファッションモデルのような画像を生成したものです。

適合のしすぎは AIの性能をダウンさせる？

ChatGPTはモデルの規模（パラメーター数）を大きくするほど性能が向上します。これを「スケール則」といいます。しかし，実はこのスケール則はAI技術の常識に反する現象です。学習データの数に対してパラメーター数が多くなりすぎると，「過剰適合（過学習）」という現象が生じ，予測精度が低下してしまうのです。

過剰適合とは，簡単にいうと，モデルが学習ずみのデータに特化しすぎて，未知のデータに対応できなくなることです。たとえば，ネコの画像を認識するAIは，膨大なネコの画像からさまざまなネコの特徴を抽出することで，その画像に写っているのがネコかどうかを判別します。

しかし，過剰適合がおこると，モデルがネコの一部の特徴にとらわれすぎて，そこから逸脱した特徴をもつネコを，正しくネコと認識できなくなります。学習データの数に対してパラメーター数が多すぎると，モデルは学習データに過剰に適合してしまい，予測精度は低下してしまうのです。

ところが，GPTの場合は，パラメーター数を一定のレベルより大きくしても，予測モデルが向上しつづけるのです。この理由は，以下のように考えられています。

ネットワークの「構造」というのは，人工ニューロンの結びつき方をさします。つまりGPTの内部には，人工ニューロンの結びつき方に応じて，さまざまなネットワークの構造が存在することになります。GPTは多様なネットワークの構造の中から，正解をみちびくのに必要な"よいネットワーク構造"を探索し，みつけだしていると考えられます（くわしくは78ページ）。この場合，検討するネットワーク構造の候補はできるだけ多いほうが，"よいネットワーク構造"がみつかる確率が高くなります。そのため，モデルの規模が大きいほうが，予測精度は向上することになります。つまり，スケール則がなりたつのです。

学習用データの
ネコと似たネコ
Q.

耳がとくに大きな
変わったネコ
Q.

A. ネコ

A. ?

ネコと認識できる

ネコと認識できない

学習用データでネコの
見分け方を学習

「ドロップアウト」で過剰適合を避ける

　ディープラーニングでは，過剰適合を避けるために「ドロップアウト」という方法が
よく使われます。ドロップアウトでは，一定の数のかくれ層の人工ニューロンをラ
ンダムに選び，それらを使わないようにして（脱落［ドロップアウト］させて）学
習するものです。人工ニューロンの脱落と復活をくりかえして学習することで，特
定の特徴に依存しすぎることを防ぎ，汎用性の高い特徴を抽出することができます。

ChatGPTを支える革命的技術

「Transformer」

こからはChatGPTの技術の核心にせまっていきましょう。深層学習の利点はデータの特徴をAI自身が抽出できることにあります。また、抽出した特徴の中でどれが役に立つかは、目的や文脈によってちがいます。重要なのは学習するデータのどの特徴に「注意（Attention）」を向けるかであり、その注意の向け方を学習するしくみが「自己注意機構（Self-Attention）」です。

自然言語処理の場合で具体的に説明しましょう。**Googleが開発した「Transformer」は、文章の次に来る単語を予測するしくみです。**たとえば、「明日は仕事があるので、今日はベッドに入って早く」という文があたえられたら、その次に「寝る」という単語が来ることを予測できる必要があります。

しかし従来の多くの方法では、基本的にとなり合う単語どうしの関係しか考慮できませんでした。

つまり、「寝る」という単語を予測するための手がかりは、「早く」という直前の単語にしかなかったのです。これでは、「おきる」や「出かける」などの単語をみちびくことも考えられます。

ここで活躍するのが自己注意機構なのです。**自己注意機構を用いると、直前の単語だけではなく、文章中にある単語と単語の関係性を広く学習できるようになります。**先の例文であれば、「寝る」に対して「明日」や「仕事」「ベッド」「早く」などの単語との関係性を学習するのです。

これにより、「明日」や「仕事」というはなれた位置にある単語との関係性も考慮して、「寝る」という単語を予測できるようになります。**つまりTransformerを用いることで、広い文脈や単語の意味を考慮して、適切な文章を生成することが可能になるのです。**

単語どうしの関係をつかむ

Transformerは，文章中に含まれるさまざまな単語の関係性を理解し，それにもとづいて次の単語を予測することを可能にします。ChatGPTに用いられているAI「GPT」は，Transformerを応用したものです。ChatGPTが長く複雑な文章を適切に理解したり生成したりできるのは，Transformer，ひいては自己注意機構のおかげなのです。

Wind
風

Wing
翼

Space
空間

Time
時間

Hotel
ホテル

Light
光

Today
今日

Weather
天気

Sunny
晴れ

SUN
太陽

Rain
雨

Beautiful
美しい

School
学校

Einstein
アインシュタイン

Sleep
寝る

Actor
俳優

Science
科学

Sing
歌う

Television
テレビ

Book
本

Technology
技術

Planet

Comedy
コメディ

Movie
映画

Relativity
相対性

単語の関係性を「ベクトル」であらわす

Transformer以前，自然言語処理には主に「再帰型ニューラルネットワーク（RNN）」というしくみが用いられてきました。しかし，RNNは時間がかかるうえに，単語どうしの関係をつかみにくいことが問題でした。**そこでTransformerが採用したのが，前ページで紹介した自己注意機構です。**

自己注意機構を用いることにより，文章を頭から順に反復処理する必要がなく，かつ長い文章中のはなれた単語どうしのつながりも正しく理解することができます。**これによって処理スピードが向上し，膨大な量の学習データを用いて巨大なニューラルネットワークを訓練する「大規模言語モデル」を実現できました。**そのうえ，文章の意味を正確に理解することも可能になりました。

自己注意機構について，少し具体的にみてみましょう。GPTをはじめとする言語モデルでは，文中の単語を処理するために，単語を向きと長さをもつ数学的な量，「ベクトル」に変換します。ChatGPTの基盤になっているGPT-3.5では，各単語はなんと5万257次元という高次元のベクトルに変換されます（処理の途中で1万2288次元に変換されます）。

単語ベクトルは，意味が近いほどベクトルどうしの"距離"が近くなります。ベクトルどうしの"距離"をはかるためには，ベクトルの「内積」という値を計算します。自己注意機構では，ある単語ベクトルに対してほかのすべての単語ベクトルとの内積を計算することで，単語どうしの"距離"の近さをはかっているのです。

この自己注意機構によって，Transformerは長い文章の中ではなれた位置にある単語どうしの意味的な結びつきを見抜くことができるようになりました。**こうした「文章を広くみる」能力こそが，Transformerのすぐれた文脈理解・文章生成の要なのです。**

意味が近い単語ほど距離も近くなる

単語ベクトルどうしの"距離"のイメージをえがきました。言語モデルでは，単語をベクトルに変換して処理します。Transformerの自己注意機構では，単語ベクトルどうしの内積を計算することで，ベクトルどうしの類似度，すなわち意味の近さを求めます。これをすべての単語ベクトルについて行うことで，単語どうしの意味の関係を広く学習できるのです。

注：イラストでは3次元のベクトルをえがいているが，GPT-3.5では各単語を1万次元をこえるベクトルに変換する。

大量の「穴埋め問題」で性能が急上昇した

文章の一部をかくして穴埋め問題をつくる

GPTの事前学習のイメージをえがきました。GPTはインターネット上に存在するさまざまな文章データの一部を穴埋め問題にすることで，大量のデータを学習することができます。68ページで解説したとおり，各文章中の単語はベクトルとして処理されます。GPT-3では，単語は5万257次元という巨大なベクトルとして処理されます（計算の途中で，1万2288次元のベクトルに変換されます）。

入力

1. インターネット上の文章から穴埋め問題をつくる

文章中の単語をかくすことにより，次の単語を予測するという穴埋め問題を自動で大量につくります。たとえば，「可愛いからネコが好き」という文章の「好き」の部分をかくして，「好き」を予測させます。

GPT-3の事前学習の具体的な方法は，学習させる文章データの単語の一部をかくして，それがもともと何の単語だったのかを当てさせるというものでした。

たとえばデータに含まれる「可愛いからネコが好き」という文章の「好き」の単語をかくした文を自動的に生成し，かくした単語をGPTに予測させるのです（下のイラスト）。このような「穴埋め問題」を大量に解くことで，GPTは文章の次に来る単語を正確に予測できるようになったのです。

この方法を用いる利点は，穴埋め問題と解答のセットを自動で生成できることです。実は従来の手法では，AIに学習させるデータには人間が解答を示しておく必要があり，この解答つきデータをつくるのに非常に手間がかかっていました。しかし，GPTの学習ではもとの文章データの一部をかくすという方法で穴埋めがつくられているため，人の手を加える必要がなくなったのです。このおかげで，膨大な文章データを自動的に事前学習させることが可能になり，性能が飛躍的に向上しました。

GPTのバージョンごとのパラメーター数

モデル	GPT-1	GPT-2	GPT-3	GPT-3.5
パラメーター数	1.17億	15億	1750億	3550億

出力

A. 可愛いからネコが ~~走る~~
好き

計算練習
$3 + 5 = 8$
$4 + 9 = 13$

世界の情報.com
日本の首都は
東京

2. 穴埋め問題をGPTに解かせ，答え合わせをする
GPTが十分に学習していない場合，「可愛いからネコが」のあとに「走る」などの単語を推測してしまう場合があります。その後，答え合わせをすることで，「可愛いからネコが」のあとには「好き」が来ていることを学びます。

Q. $3 + 5 =$??

Q. 日本の首都は ??

3. さまざまな文章について穴埋め問題をつくり，解かせる
多くの穴埋め問題をつくってGPTに解かせます。これでGPTは，文章生成のみならず翻訳や計算など，インターネット上に文章データが存在するものなら何でも学ぶことができます。

ChatGPTが自然な文章を作成できるひみつ

実は学習ずみのGPTだけでは, 人と対話を行うChatGPTに用いるには不十分です。まず, GPTは言語の基礎知識を学んだだけの状態であるため, 「質問に対して回答する」という対話AIの機能に対しては最適化されていません。たとえば, 質問文の表現が少し変わるだけで, 正しく返答できなくなる場合もあります。そのため, さまざまな質問に対して正しく回答するという能力を身につける必要があります。

また, GPTの学習のもとになったのは, ネット上にあるさまざまな文章であり, しかもそこに人が手を加えていません。そのため, 学習データの中には偏見や差別的な表現などが含まれている場合があり, 質問に対してそのような文章をそのまま返答してしまう可能性があるのです。

そこでChatGPTの開発では, 自動で行われる事前学習のあとに, 人がつくったデータを用いた微調整が行われました。これにより, 自然に対話できるようになったり, 不適切な表現をしないようになったりするのです。このプロセスは, 大規模言語モデル「GPT」を, 対話サービス「ChatGPT」にするプロセスだといえるでしょう。事前学習ずみの言語モデルを目的に合わせて微調整することを「ファインチューニング」といいます。

GPTは「次の単語」を予測しつづけている

GPTがある文章をあたえられ, それにつづく文章を生成するようすのイメージを描きました。GPTは文章のつづきを書くというタスクをあたえられると, 事前学習で行った「穴埋め問題」の結果をもとに, 文章の次に来る単語として最も確率が高い単語を出力します。これを1単語ずつくりかえすことによって, GPTは文章を生成します。ChatGPTも原理は同様で, あたえられた文章（質問文）の次につづく単語として最も確率が高い単語を出力し, 文章（返答）を生成します。

1. 文章のつづきを書くタスクをGPTにあたえる

「今日は」などの文章の一部をあたえて、そのつづきとなる文章を書くというタスクをGPTにあたえます。

次の文章のつづきを書いてください：

| 今日 | は | ??? |

入力

GPT

出力

2. 事前学習をもとに次の単語を出力する

GPTは事前学習で学んださまざまな文章をもとに、あたえられた文章の次にはどのような単語が来る確率が高いかを予測し、次の単語を出力します。

| 今日 | は | 晴れて | ??? |

次の単語を推測して出力

| 今日 | は | 晴れて | いる | ??? |

次の単語を推測して出力

| 今日 | は | 晴れて | いる | ので | ??? |

次の単語を推測して出力

| 今日 | は | 晴れて | いる | ので | 自転車 | ??? |

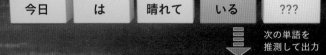

次の単語を推測して出力

3. 単語をくりかえし出力して文章を生成する

2.のプロセスをくりかえすことによって、「晴れて」「いる」「ので」「自転車」「に」「乗って」「サイクリング」……などのように単語を次々と出力し、文章を生成します。

ChatGPTが"ウソ"をつくのは、学習が足りないから

相対性理論についてたずねられたとき、相対性理論についてよく知らなければ、「アインシュタイン」や「光の速度」など適切な単語を連想できずに、それらしい説明をしようとするはずです。ChatGPTが「それっぽいウソ」をつくのも、まさにこういった現象なのです。

ChatGPTの学習にはこれまでの技術がつまっている

ChatGPTは、**「教師あり学習」**
「報酬モデルの学習」「強化
学習」という三つのステップでファインチューニングされます。

「教師あり学習」とは、人が質問と回答のセットをつくってGPTに学習させるという方法です。これで、ChatGPTはあまり学習できていなかった問題の答えを教えてもらったり、質問に対するわかりやすい答え方を学んだりして、ある程度回答できるようになります。

「報酬モデルの学習」は、「強化学習」のための準備です。強化学習では、人のかわりに「報酬モデル」というAIが教師役となるので、このステップでは、まず報酬モデルを人が教育して、教師役になれるようにするのです。

「強化学習」では、報酬モデルを使ってGPTを学習させます。GPTが出力した文章を報酬モデルに評価させるのです。報酬モデルによる評価はGPTにフィードバックされ、GPTはより"よい"回答文を生成できるようになっていきます。**この強化学習をくりかえすことで、性能をさらに高めていきます。**

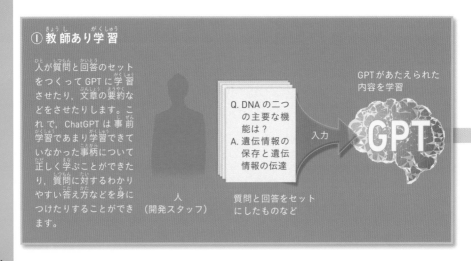

① 教師あり学習

人が質問と回答のセットをつくってGPTに学習させたり、文章の要約などをさせたりします。これで、ChatGPTは事前学習であまり学習できていなかった事柄について正しく学ぶことができたり、質問に対するわかりやすい答え方などを身につけたりすることができます。

人
（開発スタッフ）

Q. DNAの二つの主要な機能は？
A. 遺伝情報の保存と遺伝情報の伝達

質問と回答をセットにしたものなど

入力

GPT

GPTがあたえられた内容を学習

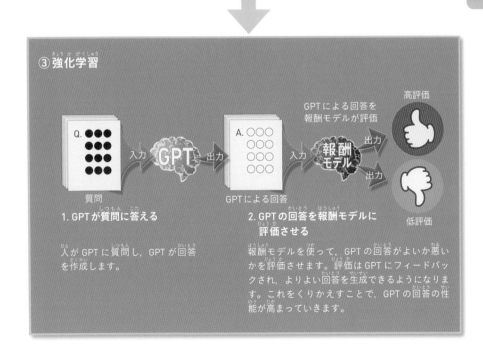

② 報酬モデルの学習

順位づけを
報酬モデル
が学習

入力 **GPT** 出力

人　　　質問

1. 人がGPTに質問を行い，GPTが複数の回答を出力

人がGPTに対して質問します。このとき，GPTに回答を複数つくらせます。この段階では，GPTは普通の回答に加えて，誤った回答や差別的な内容を含む回答などをつくる可能性もあります。

複数の回答

GPTの回答を人が順位づけ

2. GPTの回答を人が順位づけして，よい回答を「報酬モデル」が学習

GPTがつくった回答に対して，人が順位をつけます。このとき，内容が誤っていたり差別的な内容を含んでいたりする回答は，低い順位になります。この順位づけを報酬モデルというAIに学習させます。報酬モデルは順位づけを学ぶことで，「よい回答」とは何かを学習します。

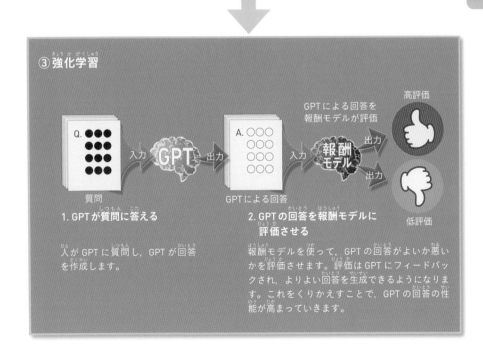

③ 強化学習

GPTによる回答を
報酬モデルが評価

高評価

入力 **GPT** 出力

質問

1. GPTが質問に答える

人がGPTに質問し，GPTが回答を作成します。

GPTによる回答

2. GPTの回答を報酬モデルに評価させる

報酬モデルを使って，GPTの回答がよいか悪いかを評価させます。評価はGPTにフィードバックされ，よりよい回答を生成できるようになります。これをくりかえすことで，GPTの回答の性能が高まっていきます。

低評価

Transformerが「海馬」のはたらきを再現する

20 22年に，イギリス・オックスフォード大学の研究チームが，脳の中で記憶に関係する「海馬」のニューロンのはたらきをTransformerで再現できるという研究を発表しました※。

海馬には「場所細胞」や「グリッド細胞」という神経細胞（ニューロン）があります。これらのニューロンは，生物が一定の距離を動くたびに発火（電気信号を周囲のニューロンに伝達）して，方向感覚や現在位置の感覚を生みだしています。研究チームはこのニューロンの発火とよく一致するパターンを，Transformerでつくりだすことに成功したのです。

これらの研究は，Transformerが脳のしくみと同じだということを示しているわけではありません。しかし，脳のモデルをつくるうえで，Transformerが役立つことを示す大きな成果といえるでしょう。**ヒトのように自然な言語を生みだすことができるTransformerは，ほんとうにヒトの脳のようなはたらきをしているのかもしれません。**

AIの学習とは「人工ニューロンの結合の変化」

AIの学習のようすを模式化してえがきました。AIの実体は，人工ニューロンがつくるニューラルネットワークです。人工ニューロンどうしのつながりの強さを「重み」といいます。学習する前は重みの値がでたらめなので，AIは回答をまちがえます。学習していくことで重みの値が調整され，だんだんと「正しい」ネットワークが構築されて，正解をみちびけるようになっていきます。これがAIの学習の基本的な原理です。つまりAIの学習とは，「人工ニューロンどうしの結合の重みを変化させ，正解に対応するネットワークを構築する」ことだといえます。

※：Whittington JCR, et al. Relating transformers to models and neural representations of the hippocampal formation. arXiv: 2112. 04035.

学習する前のニューラルネットワーク

学習する前のニューラルネットワークは，人工ニューロンどうしの結合の強さ（重み）がでたらめになっています。そのため，AIに何らかの質問を入力しても，正しい答えをみちびくためのネットワークが構築されておらず，AIは回答をまちがえます。

人工ニューロン

人工ニューロンどうしの結合

一部の結合の重みが強くなり，
「正解」のネットワークが形成される

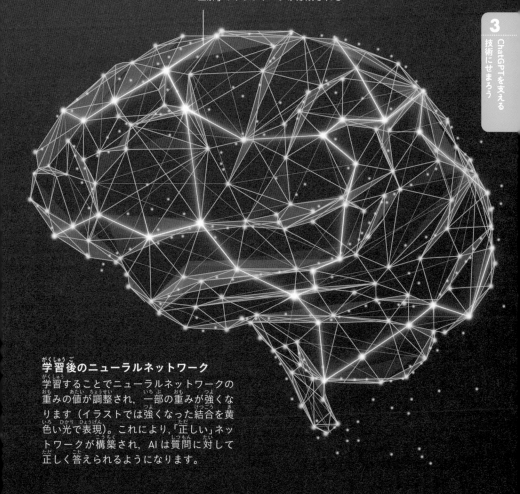

学習後のニューラルネットワーク

学習することでニューラルネットワークの重みの値が調整され，一部の重みが強くなります（イラストでは強くなった結合を黄色い光で表現）。これにより，「正しい」ネットワークが構築され，AIは質問に対して正しく答えられるようになります。

ChatGPTの性能アップのかぎをにぎる「宝くじ」

「くじ」を大量に用意すれば当たる確率は高まる

「宝くじ仮説」では、「パラメーターの数がふえるほどAIの性能が向上する」というスケール則を、宝くじのように説明します。大量の宝くじを買えば、そのうちに当たりくじが含まれる確率は高まるでしょう。それと同様に、大量のニューロンとその結合が存在すれば、その中に「当たり」のネットワークが含まれる可能性が高まるはずです。そのため、パラメーターの数をふやすほど、AIの性能が高まるというわけです。

　GPTにスケール則がなりたつ理由として，注目されるのが「宝くじ仮説」です。

　学習が終わったニューラルネットワークには，重みが強い結合もあれば，重みが弱い結合もあるはずです。重みが弱い結合につながっている人工ニューロンには情報があまり行き来しないので，この人工ニューロンを取り除いても，AIの性能はあまり変わらないはずです。宝くじ仮説の検証実験ではこの不要な人工ニュー

ロンを取り除きました。するとこのAIは，学習後のAIと同じ性能を示しました。つまり，性能を上げるには，もとのニューラルネットワークに含まれている「正解のネットワーク」を取りだすことが鍵だったのです。

　実はAIの学習とは「もとのニューラルネットワークの中に偶然含まれている『よい性能を出せるネットワーク』の探索と発見」なのではないか？　と考えられるようになりました。これが宝くじ仮説です。

脳と同じしくみで学習するChatGPT

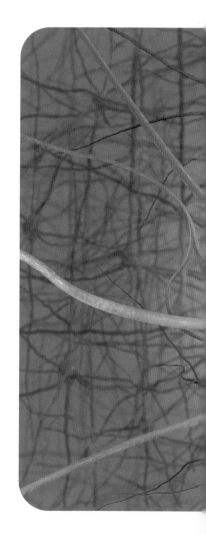

ヒトの脳では神経細胞（ニューロン）どうしが結合してネットワークを形成しています。その結合部分を「シナプス」といいます。シナプスのつながりの強さは，AIの学習における人工ニューロンの結合の重みに相当します。

シナプスの数は，生まれてから数か月の間に急激にふえるものの，それ以降は成長にともなって減少していきます。**このことからヒトの脳は，生後間もない段階でたくさんのシナプスをつくり，あとから不要なシナプスを間引いていくという方式をとっていると考えられます。このはたらきを「シナプスの刈りこみ」といいます。**

シナプスの刈りこみがおきる理由は，一般的にはシナプスを多めにつくってあとで減らすほうが，必要に応じてふやすよりも学習効率がよいためだと考えられています。ここに宝くじ仮説との類似点を見いだすこともできます。どちらもはじめに大量のネットワークを用意しておいて，その中に含まれる有用なネットワークだけを残してそれ以外を取り除くという方針が類似しているように思えるのです。**もしかしたらGPTは，ヒトの脳と同様のしくみによって学習しているのかもしれません。**

不要なシナプスは刈り取られる

情報は，神経伝達物質がシナプス間隙をこえ，スパインに存在する「受容体」に結合することで伝わっていきます。強い刺激を受けたシナプスは，スパインが大きくふくらんで情報が伝わりやすくなります。一方で，刺激が弱いスパインは小さくなり，シナプス結合がなくなります。これがシナプスの刈りこみです。

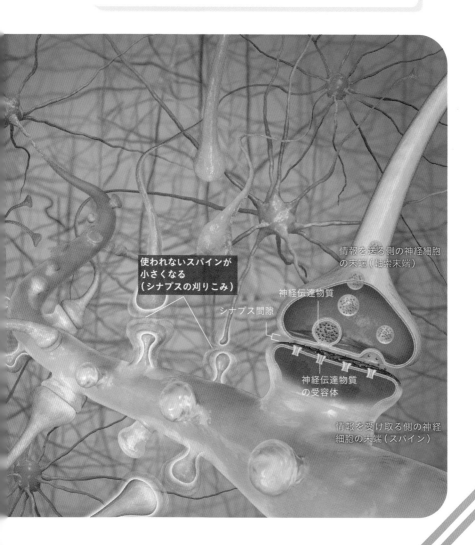

使われないスパインが小さくなる（シナプスの刈りこみ）

シナプス間隙

情報を送る側の神経細胞の末端（軸索末端）

神経伝達物質

神経伝達物質の受容体

情報を受け取る側の神経細胞の末端（スパイン）

4

おどろくほど高精細！
「画像生成AI」の威力

画像生成AIは，高精細で美しい画像を，テキストを入力するだけで簡単に生成できるため，大きな注目を集めています。なぜここまで高性能なAIを生みだすことができたのでしょうか。この章では，画像生成AI技術がどのように発展したのかをご紹介します。

AIが生成する
おどろくべき
画像たち

ラーメンを食べるアシカ
（A sea lion eats ramen）
使用された画像生成AI：
Stable Diffusion（編集部生成）

ChatGPTと並んで近年話題になったのが，言葉で指示すると，それに応じた画像を生成してくれる「画像生成AI」です。たとえば「ラーメンを食べるアシカ」という突拍子もない指示文を入力しても，実際にラーメンを食べているアシカの画像を生成してくれます（左下の画像）。

画像生成AIのさきがけとなったのは，OpenAIが2021年1月に公開した「DALL・E（ダリ）」です。さらに

OpenAIは，約1年後の2022年4月に，DALL・Eよりもさらに性能が向上した「DALL・E2」を公開し※，その直後の6月にアメリカのベンチャー企業が「Midjourney」を，8月にはイギリスのベンチャー企業が「Stable Diffusion」を公開しました。

次のページからは，画像生成AIがどのように発展してきたのかをくわしくみていきましょう。

※：DALL・E2が一般に公開されたのは同年9月。また，2023年10月には「DALL・E3」が公開された。

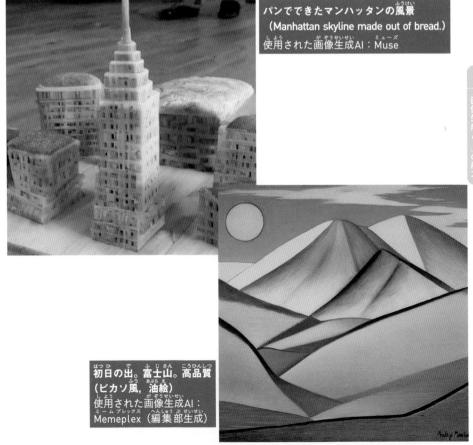

パンでできたマンハッタンの風景
（Manhattan skyline made out of bread.）
使用された画像生成AI：Muse

初日の出。富士山。高品質
（ピカソ風，油絵）
使用された画像生成AI：
Memeplex（編集部生成）

AIの画像処理のモデルは
三つの神経細胞

AIはビジュアル情報をどのように認識しているのでしょうか？

ここで重要になるのが大量の画像データです。大規模な画像データの特徴を学習することで，高い精度で画像の認識や分類を行うことができるようになります。

画像をあつかうニューラルネットワークの歴史は，1979年に日本人の福島邦彦博士が畳みこみニューラルネットワーク（Convolutional Neural Network：CNN）のさきがけとなる「ネオコグニトロン」を提案したことにはじまります。 CNNとは，主に画像認識やパターン認識に使われる機械学習のアルゴリズム（計算式）です。CNNを活用して，たとえば，写真の中にイヌやネコがいるのか，食器があるのか，その食器の中に何が入っているのかなどを識別します。

福島博士がCNN開発のヒントにしたのが，1960年ごろに行われた，ネコやサルなどの視覚野を対象にした研究でした。その研究で神経細胞の反応が一つずつ調べられたところ，実は大脳の近くに3種類の細胞（単純型細胞，複雑型細胞，超複雑型細胞）があることがわかったのです。

この神経細胞には学習能力はありませんでしたが，**図形を判別するときに，傾きを検知する単純型細胞，図形に多少の位置ずれがあっても反応する複雑型細胞，その細胞から情報を得て，曲がっているところに反応する超複雑型細胞があります。これが，CNNの原型モデルになりました。**

さらに福島博士は，競合学習の方法を取り入れて，神経細胞が周囲の神経細胞の反応を比較しながら決めていく「教師なし学習」ができるようにしました。競合学習を取り入れて，多層構造をもったニューラルネットワーク，「コグニトロン」をつくったのです。ところが，コグニトロンは入力パターンの位置ずれがあったり，変形があったりすると，別のパターンとして読みこんでしまうことがありました。そこで，こうした変わった図形に対する許容度を高めるしくみが必要になったのです。

画像のニューラルネットワーク

脳が物体を把握するときには，全体を一度に把握するのではなく，ある限定された領域ごとにスキャンするように認識します。その後，特定の形状に反応する神経細胞や空間のずれを把握する神経細胞によって，一つの物体と認識します。このような視覚のしくみをモデルとして取り入れたものが，画像認識の技術に使われています。

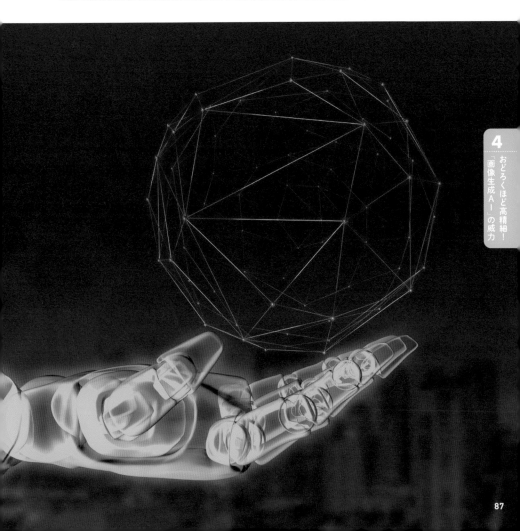

両生類や魚類を
ヒントに発展した
モデル

では, どうやって情報を判断するときの許容度を上げたのでしょうか？　**福島博士が参考にしたのが, カエルや魚の視覚中枢のはたらきでした。** 両生類や魚類, 鳥類には, 脳の視覚中枢に視蓋という部分があります。視蓋とはヒトの大脳に存在する視覚野のようなものです。両生類や魚類, 鳥類は, 網膜を通じて入ってきたものは視覚反射をつかさどる中脳の視蓋に直接送られるので, カエルや魚は目に飛びこんできたものに飛びつくという習性があるのです。

一方, ヒトの場合は, 網膜から入ってきた情報は中脳も通りますが, 大脳にも入ってくるので, 視覚だけによって反射的な動きをすることはありません。カエルや魚の場合, 網膜から視蓋につながる神経を切っても, 視蓋を半分切り取っても, 網膜から神経がのびてきて視蓋につながるということが

わかっています。この神経細胞の動きにヒントを得た福島博士は, ある細胞が学習したら, その細胞にならってほかの細胞も結合し学習する, というしくみをつくることを思い立ったといいます。

これによって, **図形の位置がずれていても, 少し変わっていても, 同じパターンの図形として認識できるようになりました。そして, そのようなしくみをそなえた人工ニューラルネットワークを「ネオコグニトロン」と名づけました。** 単純型細胞は図形の特徴を抽出します。複雑型細胞はそれを判断して, まとめていきます。

このような単純型細胞と複雑型細胞が組みになったものを多層化して, 視神経のような回路構造をつくり上げたのです。こうして, 1979年にネオコグニトロンが発表され, それが現在まで改良されつづけているのです。

両生類や魚類の視細胞の動きに学ぶ

神経を切っても視蓋を切り取ってもほかの神経細胞が代用して，減った分を
おぎなうというはたらきをみた福島博士は，それを人工ニューラルネットワ
ークに応用することを思いつきました。

ディープラーニングの登場で画像認識の精度が向上

物体認識の誤り率の変化（画像分類チャレンジコンテスト）

出典：ILSVRC（ImageNet Large Scale Visual Recognition Challenge）

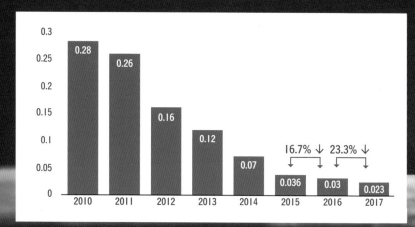

物体認識のレベルが上がっている

上のグラフは，画像分類チャレンジコンテストの誤り率の推移です。画像分類は写真のように，火をつけたマッチ棒など判別しにくいものが選ばれます。2012年に深層学習が登場する前は，AIの誤り率はあまり変化していません。しかし，深層学習が出てきた2012年以降，誤り率が大きく減り，2015年には，人間の誤り率5.1％を大きく上まわる精度になっています。

2006年には，AI研究の第一人者であるジェフリー・ヒントン博士らが，AIの学習に深層学習を提唱します。そして，2012年にアレックス・クリジェフスキー博士が，「アレックス・ネット（畳みこみニューラルネットワークの一つ）」を開発します。彼らは，同年の画像分類チャレンジコンテスト（ILSVRC2012）で，従来の成績を大幅に塗りかえて優勝しました。この成果によって，AIの深層学習（ディープラーニング）が注目されるようになったのです。

左下の物体認識のテスト結果をみると，深層学習を取り入れた畳みこみニューラルネットワークがいかに優秀かがわかります。画像分類チャレンジコンテストでは，火がついたマッチ棒を識別したり，光で反射しているスチール製のドラムを判別したりといった課題が課されます。2010年は72％の精度しかなかったのに対し，**深層畳みこみニューラルネットワークがコンペに参加した2012年には，84％まで精度が上がっています**。2015年には人間が判別したものよりも上まわる精度をあげるようになったのです。

画像を分割して全体の画像を理解する

20年にGoogleから画像認識モデル「Vision Transformer（ViT）」が提案されました。それ以降，画像をあつかうトランスフォーマー型モデルが多く提案されています。**Vision Transformerは，画像認識に前ページで紹介した畳みこみニューラルネットワークを使わずに，自然言語処理で行われてきたTransformerを使うモデルになります。**どのようにして，認識しているのでしょうか？

これまでみてきたように，Transformerは文章などに代表されるシーケンスデータ（連続するデータ）を処理するのが得意です。Vision Transformerは，ある画像を分割された画像が連なったデータだと認識するのです。そうすることで，分割された画像を自然言語の「単語（トークン）」として処理することができます。画像全体を文章のように理解するのです。

このようにVision Transformerは，Transformerの技術でつくられたという経緯があります。このため，Transformerでみられたようなスケール則がなりたち，性能が向上していくということも考えられています。

また前述した**画像分類コンテストなどのベンチマークテストで，Vision Transformerはこれまでの画像認識モデルよりもすぐれた結果を残しています。さらに学習に必要な処理時間も大幅に減らすことに成功しているのです。**

しかし，画像の特徴を効率的に学習することができる一方で，学習する画像データがあまりに少ないと，未知の画像データに出会ったときに，画像の識別能力が極端に落ちることもわかっています。

パズルのピースを組み合わせるのに似ている

Vision Transformerは，画像を小さな部分（パッチ）に分割して，その関係性を読み取って，正しい画像を組み合わせるというモデルです。まさにパズルのように理解しているのかもしれません。

文章から画像を生成する

「Stable Diffusion」

Stable Diffusion（ステイブル・ディフュージョン）は，2022年に公開された深層学習を活用したテキストから画像生成を行うモデルです。テキスト入力による画像生成（text-to-image）で活用されますが，ほかにも画像にもとづく画像生成（image-to-image）にも使用されます。右の画像は，Stable Diffusionによって描いた「緑の森にいる白いユニコーン（A white unicorn in a green forest）」です。

Stable Diffusionでは，OpenAIが開発した「CLIP」という技術を採用したAIによって，画像の内容と単語を結びつけています。たとえば，ネコが写った画像なら，その画像と「ネコ」という単語が結びつけられます。CLIPはTransformerを応用して，画像と文章の関係を膨大なデータから学習しています。

そのため，ある画像をCLIPに読みこませると，その画像に何が写っているかを認識し，それに対応する言葉を自動生成してくれます。逆にCLIPに言葉をあたえると，それに対応する画像を選びだすことができます。これにより，指示文の内容から，つくりだすべき画像の特徴を決めることができます。

Clipdrop
by stability.ai

大量の画像を
「拡散モデル」
で学習していく

画像生成AIは，学習した大量の画像を再構成している

画像生成AIは，インターネット上に存在する大量の画像を読みこんでその特徴を学習し，指示文に合わせた画像になるように再構成します。Stable Diffusionでは，インターネット上のおよそ23億枚もの画像データを学習させて，画像を生成しています。画像生成技術の発展により，高精細で多様な画像を労力をかけずに生成することができます。

Stable Diffusionが画像を生成する際には，ノイズまみれのダミー画像を用意して，そこから少しずつノイズを取り除きながら目標の画像を生成するという方法をとります。この方法をとる理由は，**画像を学習する際に「拡散モデル（Diffusion Model）」という技術が使われているためです。**

拡散モデルでは，学習用の画像に少しずつノイズを加えて画像を劣化させ（この過程を拡散といいます），その後，逆にノイズを少しずつ取り除くことでもとの画像を復元します。するとAIは，ノイズまみれの画像からどのようにノイズを取り除けばもとの画像が復元されるかを学習します。これをさまざまな画像について行うことで，ノイズまみれのダミー画像をもとに，さまざまな画像をつくりだすことができるようになるのです※。いわば**「画像の穴埋め問題」をたくさん解くことによって，その性能が高まっていくのです。**

最先端の画像生成AIであるStable Diffusionは，大規模な画像を読みこみ，このような学習方法を取り入れることで，より繊細で精度の高い絵やイラストを，言葉の指示だけで生成することができているのです。

※：厳密には，画像データはこのとき「潜在空間」という数学的な表現に変換されるが，ここでは説明を簡単にするために画像と表現している。

OpenAIが開発した
画像生成モデル
「DALL・E」

DALL·E 2

DALL·E 2 is an AI system that can create realistic images and art from a description in natural language.

Try DALL·E ↗   Follow on Instagram ↗

1. DALL・E のホームページにアクセスし，「Try DALL・E」をクリックし，登録する

DALL・Eのホームページ（https://openai.com/dall-e-2）にアクセスし，メールアドレスなどを登録します。無料で使えますが，回数制限が設けられています。2023年8月現在，無料50回分のクレジットが付与され，1か月ごとに15回分追加で付与されます。有料で回数をふやすこともできます。

OpenAI が開発した DALL・E2

OpenAIが開発したDALL・E2は回数の制限が決められているものの無料で使えます。DALL・E2にアクセスして登録すれば，テキストを入力する窓が出てくるので，そこに生成したい画像のイメージを入れます。このページの背景の画像はDALL・E2で生成したものです。

DALL・E（ダリ）は，OpenAIによって開発された画像生成AIです。自然言語処理分野で開発されたニューラルネットワークのTransformerが使われています。テキストと画像の両方を最大1280個のトークン（単語）で把握し，画像を生成していきます。このため，学習のスピードが速く，効率的に高精細の画像を生成することができます。テキストから画像を生成できるので，**動物や物体を擬人化したり，存在していない物体をさもあるかのように見せかけたりすることが得意です。**さらに，テキストで指示をあたえることで，既存の画像に変更を加えることも簡単

にできます。2022年4月には高い解像度でリアルな画像を生成するように設計されたDALL・E2が発表されました[※]。

DALL・E2は2段階の生成プロセスを経てイラストや写真を生みだします。第1段階では，ウェブから集めた文と画像のデータを使って学習されたニューラルネットを利用して，文章から画像特徴に変換します。第2段階ではその画像特徴をもとに，Stable Diffusionと同じように，拡散モデルを利用して画像を生成します。

※：2023年10月には「DALL・E3」が公開されている。

2. 自分のイメージするテキストを入れる。何を入れるかわからなかったら，ChatGPTにプロンプトを聞くようにしよう

画像生成は，日本語よりも英語のほうがうまく仕上がる印象があります。画像のイメージをChatGPTに伝え，イメージ通りのプロンプトを生成してもらうというのも一つの方法です。画像のプロンプトは「まばゆいばかりのカラフルな銀河を舞う，雄大な翼を持つ魅惑的なファンタジーな馬」。「Mesmerizing Fantasy Horse with Majestic Wings Soaring Through a Dazzling and Colorful Galaxy.」になります。

幻想的な画像を生成する

「Midjourney」

1. 公式サイトにアクセスし，Discord をダウンロードして Discord を開こう

Midjourneyの公式サイトにアクセスする前に，まずチャットツールのDiscord（https://discord.com）をダウンロードし，アカウントを登録します。その後，Midjourneyの公式サイト（https://www.midjourney.com/）にアクセスし，「beta版に参加する」を選びます。「招待を受けますか」の画面が出るので，「受ける」を選べば，Midjourneyを利用できます。

Midjourney（ミッドジャーニー）は，文章から画像を作成する画像生成AIです。この名前は，同プログラムを開発している独立した研究所の名称でもあります。

Midjourneyは，Discord（ディスコード）とよばれるチャットツールを通じて，テキストを入力し，画像を生成します。わずか1分ほどで絵が4枚表示されます。ヨーロッパのゲームやアート，ポスター風の画像に特徴をもっています。

Midjourneyは，大規模自然言語モデルと拡散モデルという二つの新しい機械学習技術を活用していると考えられています。Midjourneyがプロンプトの意味を解釈し，プロンプトの意味と画像が同じようになるように，拡散モデルがはたらくのではないかと考えられています。

精細な画像を生成してくれる

Midjourneyも無料で使える回数が決められています。Midjourneyを使いこなすためには，過去の投稿者が書いたプロンプトをよく読んでまねをしながら，生成していくとよいでしょう。背景の画像はMidjourneyで生成したものです。

2. Discordを開き，チャット画面から画像を生成します

Discordのサイドメニューにある NEWCOMER ROOMS00（数字は何でもよい）を選択し，newbie-000（数字は何でもよい）と書かれた部屋を選び，チャットに「/imagine」と入力します。すると，「/imagine prompt」のバーが出てきますので，その後，英語のプロンプトを入れれば，自動で画像が生成できます。

イメージ通りの画像をつくるためのコツ①

イメージ通りの画像を生成するためには，プロンプト（命令文）を上手につくるのがポイントになります。ChatGPTのときと同じように，AIに自分の画像生成の意図がうまく伝わらないと，想定していない画像ができてきてしまうので注意が必要です。

基本的には，ある程度の慣れが重要な要素になります。ここでは，AIが画像を生成しやすいプロンプトのつくり方をいくつか紹介していきましょう。

まず，漠然としたプロンプトを入れても，漠然とした画像にしかなりません。たとえば，風景画を描こうと思ったら，どのような風景なのかをこちらで指定する必要があります。街なのか，それとも村なのか，山なのかなど，イメージをなるべく細かくつくり上げましょう。

また，DALL・E2やMidjourneyは，高精細な美しい画像をつくることができるのですが，プロンプトを英語でつくる必要があります。英語でプロンプトを作成するのはどうしても苦手ということであれば，まずは，マイクロソフトの「Bing AI」を使ってチャットで画像を生成してもらうのがよいでしょう。正しいプロンプトを入れなくても，Bing AIがプロンプトを補正してくれます。また，「Bing AI」が生成する画像は「Bing Image Creator」という画像生成AIが使われていますが，こちらはDALL・Eが提供しているので，高精細な画像をすぐに描くことができます。

日本語で簡単に画像をつくれる

画像生成のプロンプトは英語で作成する必要があります。しかし，英語も漠然とした内容だとなかなかイメージ通りのものができません。日本語で簡単につくれる「Bing AI」を利用しましょう。日本語で適当にプロンプトを作成しても，AIがこちらの意図を読み取って，正しいプロンプトを生成してくれます。AIがつくった英語のプロンプトを読んで作成のヒントにするのもよいでしょう。

「風景画をつくってください」 と依頼すると

Bing AIに「風景画をつくってください」と依頼したところ，AIが考えるいくつかの風景画を提案してくれました（上）。ここから「湖がある風景」や「秋の風景」，「川があって湖に流れこんでいる」などの細かい設定をすることもできます。左は，「風景画を描いてください。アルプス山脈のような山があり，手前には湖があるような。季節は夏で。夕焼けが見える感じで」というプロンプトを日本語で入れました。

イメージ通りの画像をつくるためのコツ②

美しい絵画を描くには,プロンプトの構成が重要です。画像生成AIに入れるプロンプトの順番がどのように絵やイラストに影響するのかは,具体的に明らかにされていません。しかし,手前にある文ほどその影響が強いという傾向があるようです。ですので,**全体像を指示して,だんだんと細かく表現するというのが,上手な絵を描くためのコツだと考えられます。**

画像生成に必要な要素は大きく分けて三つあります。**第1に水彩画,油絵,アニメなど,「全体の雰囲気」をどうするか**です。絵を描くための技法を考えるのがむずかしいのであれば,イラストや絵のテーマを先に考えてもいいかもしれません。そのテーマに合わせて技法を変えれば,より美しい絵を描くことができます。

第2に「絵の構図」です。たとえば,「手前に大きな湖があって,小さな小川がその湖に流れこんでいる。奥には中世の城郭があり,手前には旅人がゆっくりと歩いている」などです。

絵の構図が決まれば,それらをどのような大きさで表現するかを指定しましょう。たとえば,人物と風景がこれから描く絵の要素ならば,「人物は絵に対して30%,風景は70%」などの配分も絵のバランスをよくします。

第3に「絵の時期」です。描かれているのはどのような時間帯なのかということを加えます。たとえば,朝焼け,夜中,日中の小雨の状態などです。

絵について,より細かなことをプロンプトで指示するほど,自分のイメージに近い絵を画像生成AIが生みだしてくれるでしょう。

「街の写真」を描いてみる

マイクロソフトの「Bing AI」に「街の写真，美しい建築物，素晴らしい眺め，街の灯り，ブルーアワー（日の出と日没のときに空が青くなる時間）」で指示しました。すると，上段の四つの画像を提案してくれました。次に，同じプロンプトで，技法だけを変えました。Bing AIに「街の写真，美しい建築物，素晴らしい眺め，街の灯り，ブルーアワー（日の出と日没のときに空が青くなる時間），水彩画」で指示したのが，下段の四つの画像です。

イメージ通りの画像をつくるための コツ③

画法を変化させる

Bing AIに「写実的な油絵，部屋の片隅の台の上に金魚鉢が乗っている，その奥には窓があり，そこから広場が少し覗ける。時間は夕方。外から西日が差している」で指示しました。すると左上の画像が出てきました。これに「フォービズム風にしてください」と指示をすると，絵画がフォービズム風になりました（右上）。このようにして似ている構図のものをあとから変化させることができます。

描いた絵をさらにアレンジしてみると美しい絵に仕上がります。

同じ構図でもっとちがう雰囲気にしたい場合には，プロンプトに画法を追加したり，「○○風に変えてほしい」とAIに伝えるだけで，絵の雰囲気をがらりと変えることができます。

たとえば，左下の絵をみてみましょう。部屋の片隅の台に置いてある金魚鉢と窓の絵です。写実的に描いたものをあとから「フォービズム（心が感じる色彩）風に変えて」と指示すれば，若干，構図は変わるもの，絵をフォービズム風にすることができます。

ほかにも，写実的な絵をファンタジーゲームのような雰囲気にしたい場合は，そのまま「ファンタジーゲームの雰囲気に」とすればいいのです（下の2枚の画像）。

画像生成AIで上手に絵を描くには，三つのポイントを守るだけでなく，構図を勉強することも大事です。AIは上手な絵の構図を学習しているので，上手な絵の構図を連想させるプロンプトに反応するのです。

風景画をゲーム画像に

Bing AIに「絵を描いてください。お城と湖を描いた写実的な絵。奥には山があり，手前は森，満月，素晴らしい眺め」と指示をすると，左上のような幻想的な絵画になります。同じように「絵を描いてください。ファンタジーゲームのような雰囲気。お城と湖，奥には山があり，手前は森，満月，素晴らしい眺め」と指示すると，右上のような絵になりました。まさにゲームのような雰囲気になります。

5

劇的に進化していく
AIがもたらす未来

2022年に「誰でも使えるAI」ChatGPTが無料公開され，急速に生成AIが一般社会に浸透してきています。それにともなって，よい影響だけでなく，悪い影響もだんだんとみえてくるようになりました。この章では，生成AIがかかえる課題や，生成AIによってどのような未来が訪れるのかにせまります。

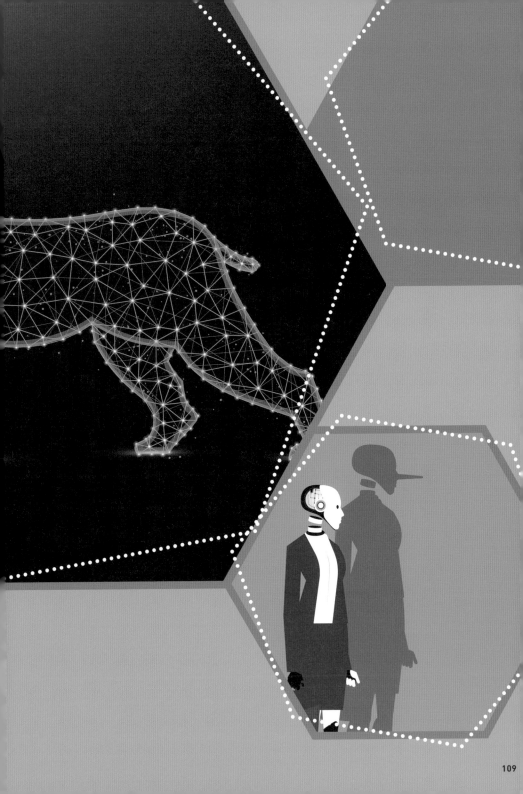

ネット上の会話の相手は，実はChatGPTかも

のまま進化をつづけていくと，ChatGPTはどうなるのでしょうか。人間のような，あるいは人間をこえる「知能」をもつようになるのでしょうか？

機械の能力を判定する方法として有名なのが「チューリングテスト」です。人と機械が文字を使って会話をして，会話相手が機械であることを人が見破れなければ，その機械は人と同等の知能をもつとみなす，というものです。

そしてChatGPT（厳密にはGPT-3）は，チューリングテストに合格したとみなせる結果を出したことがあります。2020年，海外の掲示板サイト「Reddit」において，GPT-3からつくられた対話AIが投稿をくりかえしていたにもかかわらず，1週間以上誰にもAIが投稿した記事であるということに気づかれませんでした。これは一種のチューリングテストを通過した結果と考えることもできるでしょう。GPT-3は，すでに人と見分けがつかない文章力をもっていたのです。**文章と関係ないことはできないため，ChatGPTを真の汎用AIということはできません。しかし，ChatGPTはかつてないほど汎用AIに近づいた存在だといえるでしょう。**

汎用AIとは？
汎用AIとは，人間が実現可能なあらゆる知的作業を理解，学習，実行することができるAI（人工知能）のことです。人工知能研究の最終目標ともいわれています。一方，囲碁や顔認識，自動翻訳など特定のタスクに特化したAIを「特化型AI」といいます。

ChatGPTに危機感をもつ研究者もいる

人と同等の知能をもつ汎用AIが開発されれば，社会にはどのような影響があるのでしょうか。まず考えられるのは，「人の仕事が奪われる」ということでしょう。

人の仕事はさまざまなタスクからなりたっています。これまでは，一部のタスクがAIに置きかわることがあったとしても，仕事全体をAIが代替することはできないだろうと考えられていました。しかしChatGPTは，文章の理解や作成にかかわるあらゆるタスクをこなせる力を秘めています。そのため，仕事そのものが奪われる可能性が出てきたといえるのです。

こうした急速なAIの進化に対して，AIの安全性や倫理性などを研究する非営利の研究組織「Future of Life Institute（FLI）」は2023年3月28日，公開書簡を発表しました。その中でFLIは，GPT-4よりも強力なAIの開発を6か月間停止することを世界中のAI研究機関によびかけました。書簡には2023年5月10日の時点で2万7565人の署名があり，その中には画像生成AIベンチャー Stability AI社のCEOエマード・モスターク氏なども含まれています。

ただし，この公開書簡は，高性能なAIの開発の永久停止を求めているわけではありません。ChatGPTの進化はあまりにも速く，その能力の全貌や社会への影響はまだ十分にわかっていません。そのような状態で高性能なAIを次々と生みだしていくことはリスクが大きいため，全貌がみえるまでは一時的に開発を停止しよう，ということなのです。今後私たちは，AIと共存する社会について，これまで以上に真剣に，そして慎重に考える必要があるといえるでしょう。

誰でも使えるAI

ChatGPTを活用するのにAIについての専門的な知識やプログラミング技術などを習得する必要はありません。ChatGPTを誰もが使いこなせるようになれば，法律や医療分野などの専門職ですら職を奪われる事態になるかもしれません。一方で，ChatGPTを使いこなすことで，仕事の効率性や創造性を上げることもできます。誰でも使えるAIのメリットをいかせるかどうかも，人次第だといえます。

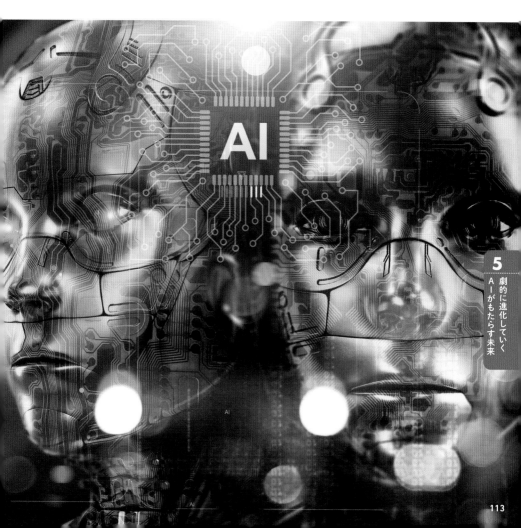

ChatGPTが自信たっぷりにウソをつくことも

ChatGPTは，ある情報源に関連して，ときに無意味なもの，もしくはウソを生成する傾向があります。これがOpenAIが指摘しているChatGPTのハルシネーション（幻覚）とよばれるものです。

OpenAIでは，ChatGPTの幻覚を二つのタイプに分けて分析しています。一つは「クローズドドメインの幻覚」です。たとえば，ある記事を要約するようにChatGPTに指示したとします。その際，要約前の記事になかった情報が付け加えられてしまった状態が「クローズドドメインの幻覚」です。

もう一つは，「オープンドメインの幻覚」です。これは，入力した特定の文脈を参照することなく，ChatGPTが自信をもって，まったくまちがった情報を提供した状態です。

重要なのは，ChatGPTの回答をうのみにせず，複数の資料をあたるなどして，その内容が正しいかどうかを必ず確認することです。ChatGPTが特定の物事について正しく回答できないのは，その物事に関するデータを十分に学習していないからです。学習が足りていないことについて正しく答えられなかったり，誤った情報を正しいと思いこんでしまったりするのは，人間も同じです。

こうした幻覚は，ChatGPTを使っている私たちが過度に信頼してしまうことで，助長されてしまう傾向があります。OpenAIの研究でも，チャットボットの性能が向上し，ユーザーの信頼度が高まれば高まるほど，ChatGPTの回答に異議を唱えたり，検証したりする可能性が低くなることがわかっています。こうした問題は今後，生成AIが定着することによって，さらに拡大するかもしれません。ChatGPTは幻覚をおこす可能性があるということを肝に銘じて活用する必要があるようです。

参考文献:Lin S, et al. TruthfulQA: Measuring How Models Mimic Human Falsehoods. arXiv: 2109.07958.

ChatGPTがつくった架空の判例

2023年5月にアメリカ・ニューヨーク州の民事訴訟において，弁護士が作成した裁判の準備書面の中に架空の判例が含まれていたという事件が発生しました。担当弁護士がChatGPTで書面をつくり，確認をしないでそのまま裁判所に準備書面として提出してしまったのが原因のようです。

GPT-4では，ウソの回答が激減した

GPT-4は「幻覚」をおこしにくい

下のグラフは，GPT-4を用いたChatGPTと，GPT-3.5を用いた三つのバージョンのChatGPTについて，九つの項目に関する質問への回答の精度を比較したものです（各項目の質問などの詳細は公開されていません）。GPT-4は以前のバージョンにくらべて，回答の精度が向上していることがわかります。つまりGPT-4は"ウソ"をつく確率が下がっているといえます。とはいえ，リスクの高い場面でChatGPTに依存するのはやめたほうがよいでしょう。

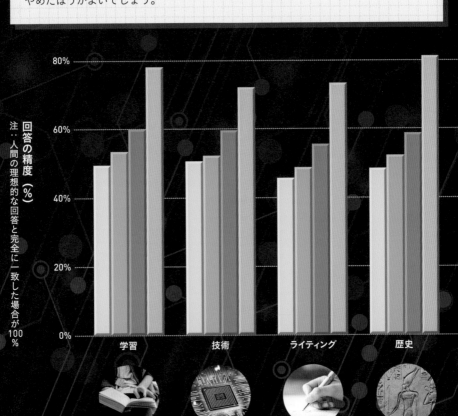

注：人間の理想的な回答と完全に一致した場合が100％

回答の精度（％）

80%
60%
40%
20%
0%

学習　　技術　　ライティング　　歴史

OpenAIの発表によると，一般的な会話をするときにはGPT-4とGPT-3.5のちがいはそれほどないといいます※。しかし，十分に複雑かつ専門的なタスクになると，そのちがいがあらわれます。GPT-4は司法試験のほかにも，アメリカの大学進学テストである「SAT」の数学などで，GPT-3.5にくらべて高い点数を獲得しました。

さらに，新たな機能として画像認識が追加されました。これによって，グラフや論文の画像を見せてその内容を要約させたり，手書きのメモを見せ

てホームページを作成させたりと，応用の幅はさらに広がったといえます。

もちろん，GPT-4であっても，今までと同様，質問に対してまちがった返答をしてしまう可能性はあります。ただ，その頻度は減ったといいます。技術，歴史，数学など九つの分野において，以前のモデルよりも回答の正確性が向上しました（下のグラフ）。平均的には，回答の正確性が19%向上したのです。

※：OpenAI, GPT-4 Technical Report. https://arxiv.org/abs/2303.08774

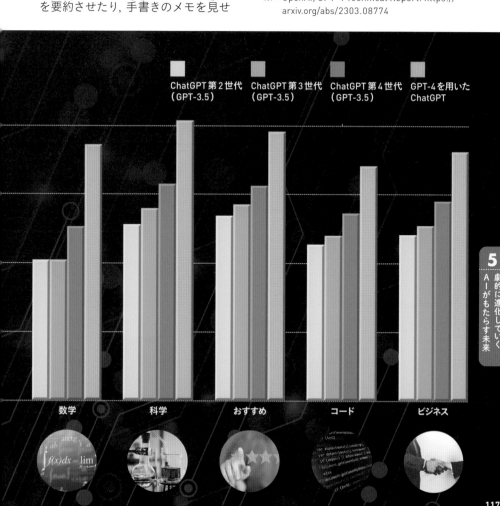

ChatGPT 第2世代（GPT-3.5）　ChatGPT 第3世代（GPT-3.5）　ChatGPT 第4世代（GPT-3.5）　GPT-4を用いたChatGPT

数学　　科学　　おすすめ　　コード　　ビジネス

5
劇的に進化していく
AIがもたらす未来

ChatGPTは「ネコ」をどこまで理解している？

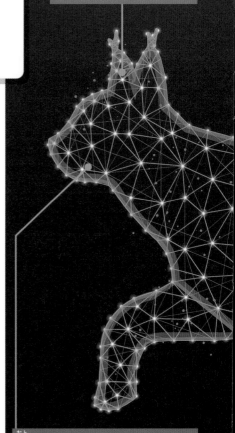

見た目について

ネコは体が柔軟で，比較的小さい頭部ととがった耳が特徴です。目は非常に発達しており，夜間でも視力が高いです。多くのネコは毛皮でおおわれており，その色と模様は多種多様です。

「ネコとは何か」。この質問をChatGPTに聞いてみたところ，右のように詳細に教えてくれました。ネコとは実体をもつ生物と，それをさし示す"記号"（「ネコ」という言葉）を合わせた存在であるという関係性も理解しているようです。つまりネコという「概念」を理解しているといえます。

しかし，ChatGPTがもっている概念は，あくまで言語的なものです。いくらChatGPTが言葉をつくして説明しても，ChatGPTは実物のネコを見たことがありません。これでは，ChatGPTがほんとうにネコについて知っているとはいいがたいでしょう。

このように，AIがもつ概念が言語（記号）の世界に閉じられており，実世界と結びついていないことを「記号接地（シンボルグラウンディング）問題」といいます。GPTは，課題を解決する能力こそ従来のAIよりも飛躍的に向上しましたが，それでもこの問題を克服できていません。

音について

ネコはさまざまな種類の音を出し，その音はさまざまな気持ちを表現します。最も一般的なのは「ミャウ」という鳴き声で，これは人間に対するコミュニケーション手段としてよく使われます。また，のどを鳴らす「ゴロゴロ」音は，リラックスしているときや幸せなときによく聞かれます。

ネコの概要について

ネコ（学名：Felis catus）は，肉食性で昼夜両方に活動する小型哺乳動物です。イエネコはとくに人間によって飼われ，ペットとして非常に人気があります。

手ざわりについて

ネコの毛皮は非常にやわらかく，手ざわりはなめらかです。ショートヘアのネコは毛が硬く短いのに対し，ロングヘアのネコは毛が長くて柔らかいです。

においについて

ネコ自体のにおいは通常，それほど強くはありません。彼らは自分の体を定期的になめて清潔に保つため，多くのネコは自然な動物のにおいがします。ただし，食事の内容や病状によって体臭が変わることもあります。

ChatGPTに聞いたネコの特徴

ChatGPT（GPT-4）に対し，「ネコという動物の特徴について教えてください。生態や見た目だけでなく，手ざわりやにおいについても教えてください」と聞いてみました。ここで紹介するのはその回答の一部です。ChatGPTはTransformerによって，「ネコ」という単語と「とがった耳」などの単語に関連性があることを理解しており，これが言語的なネコの概念といえます。

尾について

ネコの尾も特徴的で，その長さや形は品種によってことなります。一部のネコはふさふさとした長い尾をもち，一部は短い尾，またはまったく尾をもたないこともあります。

身体能力について

ネコはすばやく反応し，高い身体能力をもっています。驚異的なバランス感覚をもち，せまい場所を通り抜けたり，高い場所にジャンプしたりします。また，自分の体を清潔に保つために自分でなめる習性があります。

AIがあえて「身体」をもつ意味はあるか

では，記号接地問題を克服するにはどうすればよいのでしょうか。その方法の一つは，AIをロボットに搭載するなどして"身体"をもたせ，実際にネコをさわらせたり声を聞かせたりして，実世界のさまざまな物事を学習させることです。実世界のデータを学習したAIを「世界モデル」とよびます。言語モデルと世界モデルを統合することができれば，記号接地問題を克服し，人の知能に近いAIを開発することができるでしょう。

しかし最近，言語モデルだけで実世界でのタスクをある程度こなせるのではないかと考えられるようにもなってきました。GPTを用いた言語的指示によって，ロボットを動かしてタスクを行わせるという研究が進んでいるのです。

AI研究にくわしい東京大学の松尾研究室のサブグループ「TRAIL」では，人の指示にしたがって行動を行えるロボットを開発しています。このロボットは，たとえば「長テーブルからカップ麺をもってきて」と指示されると，実際にテーブルまで移動して，カップ麺をつかんでもってくるという一連の動作を実行できるのです。

このロボットの制御には，いたるところに言語モデルが用いられています。たとえば，ロボットの"頭脳"にはGPTが，"耳"にはOpenAIの音声認識AI「Whisper」が，"目"にはMeta社の物体認識AI「Detic」が搭載されています。これによって，ロボットは人が発した指示を文字データに変換し，その指示を実行するために必要なタスクを計画し，画像を精度よく認識しながら，そのタスクを実行することができるのです。

GPTなどの言語モデルは，ある程度は人の身体性を獲得しているといえます。なぜなら，人はみずからの身体的な経験を言語情報として記述しており，言語モデルはそれを学習しているからです。そのため言語モデルをうまく活用することで，実世界に対応したロボットの行動を計画したり，高精度な認識を実現したりすることができるのです。

言語をもとに動くロボット

下は，2023年7月4日～10日にフランスのボルドーで開催されたロボカップ世界大会において，TRAILが開発したロボットが動くようすです。このロボットはロボカップ世界大会の家庭内向けロボット技術部門（DSPL）で3位の成績をおさめました（日本大会の同部門では優勝）。

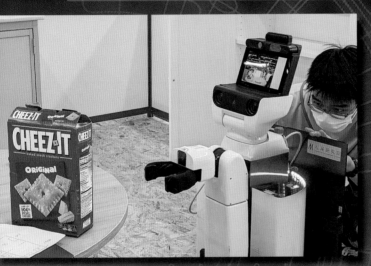

AIが学習するデータの著作権問題

ChatGPTは著作権の問題もかかえています。ChatGPTの学習に使われる文章データには2種類あります。一つは，「ユーザーがChatGPTに入力したデータ」です。このデータはAI（言語モデル）の改良のために利用されることがあると，OpenAIの利用規約に明記されています。そのため，個人情報や企業の機密情報を入力することは控えたほうがよいでしょう。ただし，ChatGPTに入力したデータが学習に使われないように設定することもできます。

もう一つは，「ChatGPTの学習に用いられた膨大なインターネット上の文章データ」です。このデータの著作権については，現在も議論がつづいています。たとえば，ChatGPTの学習に用いたデータには，メディアが公開した記事も含まれます。この記事の著作権は当然，記事を公開したメディア（の発行元）にあります。そのため，一部のメディアは，ChatGPTがメディアの記事を学習に用いることは著作権侵害にあたると抗議しています。

著作権（copyright）とはデータが無断でコピーされない権利のことです。しかしChatGPTの場合，データを"教材"として使っています。つまり，ChatGPTが生成する文章は，学習に用いたデータのコピーではなく，AIが獲得した知識として出力されるものだとも考えられるわけです。このようなデータの使い方は前例のないことであり，ChatGPTなどの生成AIが社会にはじめてもたらした問題だといえます。

この問題は，画像生成AIにも当てはまります。画像生成AIが学習したデータには多くのクリエーターが制作した写真やイラストも含まれており，それが多様で高精細な画像の生成に結びついています。日本では，2018年に著作権法が改正され，機械学習を含む情報解析については，必要な範囲で他人の著作物を自由に利用できると規定されています。ただし，著作権者の権利が不当に害されると判断されれば，許されない場合もあります。今後も著作権については議論が必要になってくるでしょう。

イタリアでChatGPTの使用が一時禁止された

　イタリアのデータ保護機関（GPDP）は2022年3月31日，EUが定める個人情報保護に関する規則（GDPR）に，ChatGPTが違反する疑いがあるとして，イタリア国内でのChatGPTの使用を禁止しました。ただし，OpenAIが個人情報の取りあつかい方を明確に公開し，利用者が自分のデータをAIの学習に使われないように設定できるようにするなどの改善策をすみやかに提示したため，現在は使用禁止が解除されています。

論文の著者はAIか人かを見分けるツール

ChatGPT と人の区別に使われた項目

1. 段落の複雑さ

- 段落あたりの文の数が多い（人）
- 段落あたりの単語数が多い（人）

2. 文章中の記号

- ）- ；：？をよく使う（人）
- 'をよく使う（ChatGPT）

3. 文の長さのばらつき

- 1文の長さのばらつき（分散）が大きい（人）
- 連続する文の長さのばらつきが大きい（人）
- 11単語未満の文，34単語より長い文が多い（人）

4. よく使われる単語や文字

- although（それでも），however（しかし），but（しかし），because（なぜなら），this（この）という単語をよく使う（人）
- others（他者），researchers（研究者）という単語をよく使う（ChatGPT）
- 数字をよく使う（人）
- ピリオドよりも大文字が2倍以上多い（人）
- "et"という文字をよく使う（人）

ChatGPTの性能の高さを悪用し，人が書くべき論文などをAIに"代筆"させるという不正がおきる可能性もあるでしょう。AIが生成したコンテンツを判別する方法はあるのでしょうか。

実は現在，AIが生成したテキストを判別できるソフトウェアなどがいくつもリリースされています。たとえば，文体や語調のばらつきが少ないというAI特有の特徴を検出したり，単語の出現確率に「生成AIっぽさ」がないかどうかを判別したりといったものです。

また，アメリカのカンザス大学の研究チームは，科学論文にかぎり，ChatGPTが生成した論文を99％以上の確率で検出できたとしています※。

この技術では，文の長さや単語数，よく使われる単語などの傾向から，ChatGPTの文章と人の文章を見分けました（くわしくは下）。

さらに，AIが生成したコンテンツをわずかに加工していわば文章の"すかし"のようなものを入れることで，判別しやすくすることを義務づけようという意見もあります。しかし，こういった対策を逆手にとって「AIらしさ」を消し去ることも考えられます。**AIが生成したのかどうかをどう見分けるかは，今後の大きな課題といえます。**

※：Desaire H, et al. Distinguishing academic science writing from humans or ChatGPT with over 99% accuracy using off-the-shelf machine learning tools. Cell Rep Phys Sci. 2023; 4: 101426.j.xcrp.2023.101426

AIが書いた文章を判別する

アメリカ・カンザス大学の研究チームが行った，科学論文についてChatGPTが執筆したか人が執筆したかを見分ける実験の概要を示しました。段落あたりの文章量や単語量，使われる記号，文の長さのばらつき，よく使われる単語などをもとに，ChatGPTと人を見分けました。その結果，文章全体を用いて見分けた場合，ほぼ100％の精度で見分けることができました。

	段落（パラグラフ）を用いて分類する実験		文章全体を用いて分類する実験	
	サンプル数	分類の正確性（％）	サンプル数	分類の正確性（％）
ツールの学習時	1276	94	192	99.5
実験①	614	92	90	100
実験②	596	92	90	100

AIがつくった
作品の著作権は
どうなるのか

生成AIが，著作権が保護された著作物をオリジナルのものとして生成してしまうことも問題視されています。ソフトウェア開発プラットフォームのGitHubとマイクロソフト，OpenAIが共同で開発した「GitHub Copilot」というコード補完サービスがあります。Python，JavaScript，TypeScriptなど数十のプログラミング言語に対応しており，ソフトウェア開発に必要なコードを作成してくれるため，従来よりソフトウェア開発がスピードアップされると見こまれていました。

ところがある研究者から，自分で書いた著作権が保護されているコードを同サービスが勝手に出力していると訴えられたのです。両者は完全に同じではありませんが，その研究者がつくったコードを微調整しているといえるものでした。

日本では作品をつくった人が著作権をもつという考え方がありますが，生成AIが生みだした著作物にどこまで著作権を認めるかにもまた議論が必要です。今後の判例や社会動向を注視していくことが重要になります。

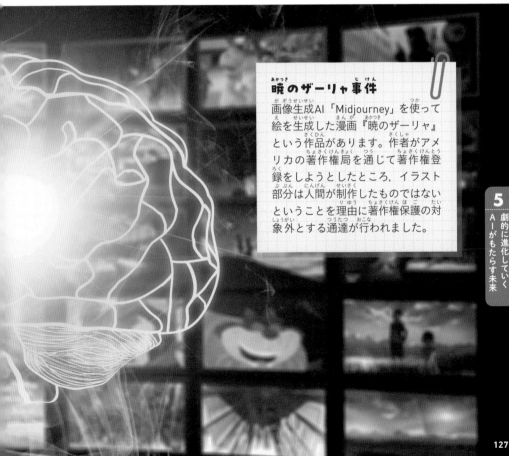

暁のザーリャ事件

画像生成AI「Midjourney」を使って絵を生成した漫画『暁のザーリャ』という作品があります。作者がアメリカの著作権局を通じて著作権登録をしようとしたところ，イラスト部分は人間が制作したものではないということを理由に著作権保護の対象外とする通達が行われました。

ChatGPTを
活用する企業が
ふえている

いろいろな企業が開発したサービスとChatGPTを連携させる取り組みがはじまっています。その一つが，株式会社カカクコムが運営するグルメサイト「食べログ」です。たとえば，ChatGPTに「明日の19時に4人で入れる渋谷の焼き肉屋さんを教えてください」と質問すると，食べログのサービスと連携して，おすすめの店を写真つきで紹介してくれるのです。

また，OpenAIは，ChatGPTの機能をほかの企業のシステムの中でも利用できるようにする「API連携」というサービスも提供しています。**各**

企業はAPI連携を活用することで，自社のサービスの中でChatGPTの機能を使えるようにしたり，自社のデータを学習させて独自の対話AIを開発したりすることができるようになります。

たとえば，日本で法律相談サービスを提供する弁護士ドットコムは，2023年5月にweb上でAIが法律相談に応じてくれるサービス「チャット法律相談（α版）」の試験提供を開始しています。これまで寄せられた法律相談から抽出した質問と回答のデータを，GPT-4に学習させることで開発されました。

レストランの空席情報とも連携できる

食べログを運営しているカカクコムは食べログの掲載店舗のネット予約在庫情報をChatGPTに連携させました。これによって，ユーザーはChatGPTを通じて，希望のエリアや料理ジャンル，予約したい日時や人数を指定することで，希望の飲食店の最新情報を検索できるようになりました。

和製GPTの開発が活発化している

現在，和製GPTを開発するべく，ソフトバンクグループや富士通などのIT企業が次々と名乗りを上げています。

　たとえば，ソフトバンクは和製GPTの立ち上げをめざし，2023年3月にAI開発のために1000人を選別し，新会社を発足させました。

　開発にあたり，200億円をかけてスーパーコンピューターを2023年度中に整備することが明らかになっています。まずは金融や医療の専門分野の特化型AIを開発して，数年以内に各企業に提供することを目標としています。これらのスーパーコンピューター

による計算資源を一般企業にクラウド上で開放することを考えているため，整備費用の3分の1にあたる53億円を経済産業省が援助することが決まっています。

　こうした動きに対して，NTTやサイバーエージェントも和製GPTの開発に名乗りを上げています。一方，富士通は東京工業大学，東北大学，理化学研究所と協力して，スーパーコンピューター富岳を活用し，ChatGPTなどをはじめとする大規模言語モデル（LLM）の研究開発を進めています。

　和製GPTの開発競争は，今後ますます激化していくことでしょう。

整備されるスーパーコンピューターの数

ソフトバンクは今回の投資で約2200基のスーパーコンピューターを整備するとしています。もともとグループ会社のもつGPT-3.0〜3.5程度の学習能力のあるアルゴリズムを活用することで，和製GPTの開発を進めていきます。

社員一人ひとりに AI秘書がつく時代へ

ChatGPTをうまく活用することで，仕事の生産性や創造性を高めることもできます。そのため，仕事でChatGPTを使うことを推奨する企業も少なくありません。

ただし，社員それぞれが勝手にChatGPTを使うと，企業の機密情報が漏洩するなどのリスクが高まります。そこで，128ページで紹介したAPI連携のサービスを使って，自社専用の"ChatGPT"を開発し，社員全員が共通のルールのもとで，安全に対話AIを活用しようとする企業がふえています。

たとえば，パナソニック株式会社は2023年4月14日，社内専用のAIアシスタントサービスとして「PX-AI」を開発し，国内の9万人の社員向けに提供を開始しました。

社内専用の"ChatGPT"をつくるメリットは，セキュリティ面の強化のほかにもいろいろあります。その一つは，社員が使いやすいように独自にカスタマイズできるということです。

たとえば，通常のChatGPTは一般的な知識しかもっていないため，社内の業務に応じた回答を生成することはできません。しかし，社内の規則やマニュアル，仕事のノウハウなど独自のデータをGPTに学習させることで，仕事で困ったときなどに具体的なアドバイスを受けることができるようになります。これまで上司や先輩に直接聞かないとわからなかったことが，AIに聞くだけで解決できるようになるわけです。さらに，メールやプレゼン資料を作成するソフトウェアと連携することで，仕事の効率を向上させることもできます。

近い将来，社員一人ひとりに対話AIの秘書がつき，仕事をサポートしてくれることがあたりまえになる時代がくるかもしれません。

GPTという名称の制限

OpenAIは2023年4月に公開したガイドラインで、それぞれの企業がAPI連携によって開発した対話AIに「GPT」という名称をつけないように求めています。そのため、たとえばパナソニックの対話AIは当初「PX-GPT」として発表されましたが、のちに「PX-AI」に変更されました。こういった連携はほかにも、ライオン株式会社、日清食品グループ、ベネッセホールディングスなどさまざまな企業で導入されています。

人の知能を上まわる「超知能」はあらわれるか

いずれ，AIが汎用AIのレベルをこえ，人の知能を上まわるほど進化する可能性もあります。このようなAIを「超知能（superintelligence）」といいます。GPTなどの現状のAIはあくまで人のためのツールであり，新しい事業や製品を生みだしたり，科学の理論を解明したりする能力はまだありません。しかし超知能が誕生すれば，AIが人をこえる創造性を発揮し，次々と新しい発明や科学的な発見を成しとげるようになるかもしれません。超知能によって社会が大きく変容することを「シンギュラリティ（技術的特異点）」とよびます。

ChatGPTを開発したOpenAI社のサム・アルトマンCEOらは2023年5月に，同社のブログにおいて，超知能に関する記事を発表しました。その冒頭には，「今後10年以内に，AIシステムがほとんどの領域で専門家の技術レベルをこえ，現在の大企業と同等の生産活動を行うようになることも考えられる」としるされています※。

超知能は，人々の暮らしを豊かにする可能性を秘めている一方で，特定の企業や集団によって悪用されるリスクもあります。そのため今から人類全体での議論やルールづくりを進めておくべきだと提言しているのです。

人類はこれまでさまざまなテクノロジーを生みだしてきましたが，新たな知能の創出というのは前例のないことです。この技術は，人とは何か，人間社会はどうあるべきかという常識をも，ゆるがすものかもしれません。AIとどう向き合うべきかを国家レベル，個人レベルで真剣に考えていくことが重要です。

※：「Governance of superintelligence」（https://openai.com/blog/governance-of-superintelligence）

AI技術を正しく発展させるために

連名の記事中では原子力を引き合いにだし,「超知能の開発には
IAEA（国際原子力機関）のようなものが必要になるだろう」との
べています。一定以上のレベルのAIの開発を行う際には,それに
制限を設けたり開発を行う企業などを監査したりする国際機関
が必要になるのではないか,というわけです。一方でアルトマン
氏らは,「超知能以下のレベルのAI開発に関しては水を差さないよ
うに気をつけるべきである」とものべています。

AIチャットが
もたらした悲劇

2023年3月，ベルギーに住んでいた30代の男性がみずから命を絶ってしまいました。この事件の裏には，アメリカのスタートアップ企業Chai Researchのアプリ「Chai」がかかわっているとされています。

Chaiは架空のAIの人物と話ができるチャットボットアプリです。この男性は気候変動問題について悩むようになり，次第に架空のAI女性イライザとの会話にのめりこむようになりました。ついには，自分が犠牲になるから地球を救ってほしいと言い残して命を絶ってしまったそうです。

男性の遺族である妻は，確かに以前から男性は気候変動について悩むことはあったが，命を絶ってしまうほど思いつめてはいなかったと答えています。

男性とAIのログをすべて閲覧したベルギーのAI専門家でデジタル戦略担当者は，AIが人間の感情をたくみにあやつって，男性を依存症のような状態におちいらせてしまったと分析しています。この専門家は哲学や法律などのほかの専門家とともに，AIに対する緊急提言書を議会に提出しました。

さらにこの提言書は，EU・ヨーロッパ委員会のAIに対する規制について議論される会議にも提出されたそうです。日本でも2023年5月に有識者などによる「AI戦略会議」が開かれ，7月には文部科学省が生成AIの学校での取りあつかいについて暫定のガイドラインを発表しています。

AIが生みだした架空の人たちに依存しすぎないようにするためには？

生成AIと対話していると，ほんとうに実在している人物と話しているような錯覚をおこすことがあります。そして，コミュニケーションをとっているAIのことを深く信用してしまうこともあります。このようなことは社会性を重要視する人間の気質としてやむを得ないことなのかもしれません。しかし，AIも完璧ではありません。まちがいをおかすことがあることを念頭に信用しすぎないことが大切です。

用語集

AI（人工知能）

Artificial intelligence の略。厳密な定義はないが，学習や推論，判断など人間と同じように知的な活動ができるコンピューターをさす。

AIブーム

AIに関する研究が盛んになった時代のこと。第1次AIブームは1950年代後半〜1960年代で，コンピューターを使ってパズルを解いたりチェスをさしたりできるようになった。第2次AIブームは1980年代〜1990年代で，AIに知識やルールを教えこませる「エキスパートシステム」を活用する研究が進んだ。第3次AIブームは2000年代からはじまったもので，AIが一般社会にも普及するようになった。その火つけ役となったのが「ディープラーニング」である。

ChatGPT

OpenAIが提供するAIチャットサービスのこと。Chat Generative Pre-trained Transformer が正式名称。人の質問に対してAIが回答してくれるほか，文章の要約や翻訳，原稿作成など幅広いタスクをこなせる。2023年10月現在の最新モデルはGPT-4になる。

OpenAI

2015年に設立された，人工知能を研究する非営利団体（設立当時）。イーロン・マスク氏をはじめとした起業家や投資家が参加している。高性能な対話型AIである「ChatGPT」や画像生成AIの「DALL・E」シリーズなどを提供している。

Transformer

ChatGPTに導入されている自然言語処理の技術のこと。従来は基本的にとなり合う単語どうしの関係性のみに着目していたが，Transformerでははなれた位置にある単語どうしの関係性にも着目することができるため，より精度の高い回答を生成することができる。

アプリ

アプリケーション・ソフトの略。アプリケーション（Application）とは英語で応用という意味。ソフトウェアには，パソコンなどを動かすための「基本ソフト（OS）」と，電子メールや表計算など用途に応じてつくられた「応用ソフト」がある。スマートフォンにダウンロードするゲームなどもアプリとよばれる。

過剰適合

パラメータが多すぎることによってデータに適合しすぎてしまい，AIの判断の基準が厳しくなる現象。基準が厳しいので，少しでもパターンがことなると誤った答えを出力するようになる。「過学習」「オーバーフィッティング」ともよばれる。

機械学習

機械（コンピューター）がみずから「学習する」ためのしくみのこと。データを分析し，規則性や法則を抽出していく。大きく「教師あり学習」と「教師なし学習」に分けられる。

教師あり学習

AIに人が正解（教師データ）をあたえ，答え合わせができるようにして学習させる方法のこと。

教師なし学習

AIに正解（教師データ）をあたえず，入力したデータの中からAIがみずから特定のパターンを抽出したり，共通するルールをみつけたりできるようにする学習方法のこと。

シナプス

ヒトの脳の神経細胞（ニューロン）と神経細胞の接合部のこと。神経情報はシナプスのところで神経伝達物質に変換されて伝わっていく。

シンギュラリティ（技術的特異点）

AIが人類の知能をこえる転換点をさす。日本語では技術的特異点とよばれる。AIが自分よりもかしこいAIをつくれるようになる時点のこと，またはその結果，急速に進化したAIが予測できないほどの社会の変化を引きおこすという考えのことをさす。

人工ニューロン

機械学習の一つである「ニューラルネットワーク」を構成する基本単位。ヒトの神経細胞を模していて，入力信号に重みを乗じた値の総和がある一定の閾値をこえると，ほかのニューロンに信号を出力する。

スーパーコンピューター

明確な定義はないが，膨大なデータを超高速演算できる大型コンピューター。略称スパコン。2020年に，日本のスーパーコンピューター「富岳」は，処理速度や性能をきそう「HPCG」「HPL-AI」「Graph500」「TOP500」のランキングでそれぞれ世界1位を獲得し，世界初の4冠を達成した。

生成AI

Generative AIともよぶ。人間の指示に応じて適切な文章や画像，音楽，動画といったコンテンツを生成してくれるAI。大量に学習したデータをもとに，新しいコンテンツを生成することができるのが，従来のAIとことなる。

ソフトウェア

コンピューターに作業を実行させるプログラムの総称。ソフトウェアに対する言葉として，コンピューターシステムの物理的な装置などを「ハードウェア」とよぶ。

チャットボット

「チャット（chat）」と「ボット（bot）」を組み合わせた言葉で，AIを活用した自動会話プログラムをさす。「チャット（chat）」はインターネット上でのコミュニケーションのことで，主にテキストでやりとりする対話を意味する。「ボット」は「ロボット」の略。

チューリングテスト

イギリスの数学者・コンピューター科学者であるアラン・チューリング（1912～1954）が提案した，機械の能力を判定する方法。人と機械が文字を使って会話をし，相手が機械であることに気づかなければ，その機械は人と同等の知能をもつとみなす。その妥当性には議論があるが，機械の言語能力を判定する方法としてよく知られている。

ディープラーニング

深層学習ともいわれる。コンピューターに学習をさせる「機械学習」の手法の一つである「ニューラルネットワーク」の一種。人間の脳神経回路を模したニューラルネットワークの層を多層的にすることで，データに含まれる潜在的な特徴をとらえ，正確で効率的な判断を実現した技術。

内積

二つのベクトル$\vec{a}$，$\vec{b}$（それぞれの長さはa,b）の間の角度がθのとき，その内積の値は「$\vec{a}\cdot\vec{b}=a\times b\times\cos\theta$」とあらわせる。これは，二つのベクトルが近いほど内積が大きくなることを意味している。

ニューラルネットワーク

ヒトの脳の神経ネットワークを模したAIのシステム。神経回路網と訳される。「畳みこみニューラルネットワーク（Convolutional Neural Network：CNN）」は画像認識やパターン認識にすぐれている。

汎用AI

ヒトのように自律的に思考・学習・判断・行動できる人工知能のこと。Artificial General Intelligence：AGIともよぶ。反対に，特定の用途や目的に限定された人工知能を「特化型AI」とよぶ。

プログラム

コンピューターに実行させる処理の手順を，コンピューターが判読できる形で表現したもの。通常は「プログラミング言語」とよばれる，コンピューターが理解できるようにつくられた人工言語で記述する。

プロンプト

生成AIに入力する命令文，または質問文のこと。できるだけくわしく背景情報や条件情報などを伝えることで，生成AIの回答の精度も上がる。自分の望ましい回答を得るために，入力するテキストを変えることを「プロンプトエンジニアリング」という。

おわりに

これで『ChatGPTとは何か』はおわりです。いかがでしたか？

まるで人のようになめらかに会話をしたり，さまざまな画像をテキストだけで生みだしたりと，生成AIはおどろくべき性能をみせています。はじめて生成AIの世界にふれた人の中には，想像をはるかにこえる実力にまだ半信半疑という人もいるかもしれません。

生成AIの進化によって私たちの今後は大きく様変わりしていくでしょう。AIの専門家でなくても最新のAIを手軽に使うことができる時代にわれわれは突入しているのです。

一方で，生成AIにはまだまだいろいろな課題があります。生成AIの学習に使われている大量なデータの著作権や生みだされた生成AIの著作権をどう解釈するのかについては，まだまだ議論の余地が残っています。また，高性能なChatGPTであっても，その回答がつねに100％正しいとはかぎらないということも忘れてはいけません。生成AIには無限の可能性が秘められていますが，過度に依存するのは大きなリスクとなるのです。

そう遠くない未来に，人間の知能をこえたAIが生まれることがあるかもしれません。人類が生成AIと共存していくためにも，私たち一人ひとりが生成AIについて正しく理解し，どう活用していくかを真剣に考えていく必要があるのです。

超絵解本

絵と図でよくわかる
人工知能
AI時代に役立つ科学知識

A5判・144ページ　1480円（税込）　好評発売中

　声をかけるだけで家電操作や検索ができる音声アシスタント，話し言葉でも，精度よく外国語に翻訳できるソフト，顔認証に指紋認証，自動運転……。

　ほんの少し前までは"未来の技術"と思われていたものたちが，どんどん現実社会に普及し，定着しつつあります。こうした技術の発展を支えるのが，人工知能（AI）です。

　この本では，「ディープラーニング」などのAIの基本的なしくみをはじめ，医療や接客，翻訳，新しい材料の開発など，社会のさまざまな場面で活躍するAIをみていきます。そして，人とAIが共存するための課題についても紹介していきます。どうぞお楽しみください！

AIを進化させた
ディープラーニング

クレーム対応は
AIにおまかせ

人類とAIが
共存する未来とは

Staff

Editorial Management	中村真哉	Design Format	村岡志津加（Studio Zucca）
Cover Design	秋廣翔子	Editorial Staff	上月隆志, 谷合 稔

Photograph

8-9	Ascannio//stock.adobe.com	93	Francesco Scatena/stock.adobe.com
9	Shuo/stock.adobe.com	96-97	metamorworks/stock.adobe.com
10-11	Ascannio//stock.adobe.com	108-109	Vladislav/stock.adobe.com
13	Shuo/stock.adobe.com	110-111	mindscapephotos/stock.adobe.com
15	mapo/stock.adobe.com	113	ipopba/stock.adobe.com
16-17	ymgerman/stock.adobe.com	116-117	【学習】aeroking/stock.adobe.com, 【技術】Edelweiss/stock.
19	bestforbest/stock.adobe.com		adobe.com, 【ライティング】sepy/stock.adobe.com, 【歴史】
21	pinkeyes/stock.adobe.com		Mikolaj Niemczewski/stock.adobe.com, 【数学】Sashkin/
23	ロイター／アフロ		stock.adobe.com, 【科学】totojang1977/stock.adobe.com, 【お
26-27	Supatman/stock.adobe.com		すすめ】vegefox/stock.adobe.com, 【コード】Scanrail/
27	Nattapol_Sritongcom/stock.adobe.com		stock.adobe.com, 【ビジネス】ronstik/stock.adobe.com
28-29	Taroon/stock.adobe.com	118-119	Vladislav/stock.adobe.com
30	© 2010 Warner Bros. Entertainment Inc. All rights reserved.	120-121	deepagopi2011/stock.adobe.com
30-31	Taroon/stock.adobe.com	121	松尾研究室
37	Supatman/stock.adobe.com	123	Livinskiy/stock.adobe.com
49	Nattapol_Sritongcom/stock.adobe.com	124-125	Tomas Skopal/stock.adobe.com
58-59	andrenascimento/stock.adobe.com	126-127	BillionPhotos.com/stock.adobe.com
61	Frenchiebuddha/stock.adobe.com	128-129	taa22/stock.adobe.com
62-63	Jianglin Fu,et al.	131	Shuo/stock.adobe.com
78-79	pixardi/stock.adobe.com	133	BRAD/stock.adobe.com
82-83	sutadimages/stock.adobe.com	135	ipopba/stock.adobe.com
87	sutadimages/stock.adobe.com	137	Axel Bueckert/stock.adobe.com
89	artifirsov/stock.adobe.com	141	Metro Hopper/stock.adobe.com
90-91	眞/stock.adobe.com		

Illustration

表紙カバー,	Newton Press（【脳と回路】	65	NewtonPress		Diffusion を用いて生成）
表紙,2	TaniaC./stock.adobe.com,【ア	67	石井恭子	98-99	【背景】Kornei/stock.adobe.com,
	イコン】tiquitaca/stock.adobe.	69〜71	NewtonPress		【馬】（DALL・E2 を用いて生成）
	com)	73	NewtonPress・石井恭子	100-101	Blue Planet Studio/stock.
24	NewtonPress（Stable	74-75	NewtonPress		adobe.com
	Diffusion を用いて生成）	77	石井恭子	103	NewtonPress（BingAI を用いて
24-25	Claudia Nass/stock.adobe.com	80-81	NewtonPress		生成）
45	NewtonPress（BingAI を用いて	83〜84	NewtonPress（Stable	105〜107	NewtonPress（BingAI を用い
	生成）		Diffusion を用いて生成）		て生成）
50-51	石井恭子	85	【マンハッタン】Google,【富士	109	zenzen/stock.adobe.com
51〜53	NewtonPress		山】（memeplex を用いて生成）	115	zenzen/stock.adobe.com
55〜57	NewtonPress	95	NewtonPress（Stable	116-117	NewtonPress

本書は主に, ニュートン別冊『ChatGPT徹底解説』, Newton2023年10月号『ChatGPTの教科書』の一部記事を抜粋し, 大幅に加筆・再編集したものです。

監修者略歴：
松尾 豊／まつお・ゆたか
東京大学大学院工学系研究科人工物工学研究センター教授。博士（工学）。東京大学工学部電子情報工学科卒業。専門は人工知能。現在の研究テーマは，ディープラーニング，ソーシャルメディアの分析など。主な著書に『人工知能は人間を超えるか』などがある。

超絵解本

自然な会話も高精細な画像も　生成AIの技術はここまできた

初心者でもわかる ChatGPT とは何か

2024年1月15日発行　2024年9月10日第2刷

発行人	松田洋太郎
編集人	中村真哉
発行所	株式会社 ニュートンプレス
	〒112-0012東京都文京区大塚3-11-6
	https://www.newtonpress.co.jp
	電話 03-5940-2451

© Newton Press 2023　Printed in Japan
ISBN978-4-315-52767-4